9 (21

MÉDECINE ET ÉNERGIE

De l'auriculothérapie
à la guérison énergétique

Docteur Yves KESSOUS

MÉDECINE ET ÉNERGIE

De l'auriculothérapie à la guérison énergétique

Editions de Mortagne

Édition
Les Éditions de Mortagne
250, boul. industriel, bureau 100
Boucherville (Québec)
J4B 2X4

Diffusion
Tél.: (514) 641-2387
Téléc.: (514) 655-6092

Dépôt légal
Bibliothèque nationale du Canada
Bibliothèque nationale du Québec
2e trimestre 1992

ISBN: 2-89074-408-6

1 2 3 4 5 - 92 - 96 95 94 93 92

Imprimé au Canada

À toi SYLVIA qui n'es plus

Modeste contribution
Supplication
Pour qu'aucune enfance
N'endure encore souffrance

REMERCIEMENTS

Je tiens vivement à remercier tous ceux qui par leur confiance, leurs remarques constructives, leurs encouragements et leurs efforts ont participé, d'une façon ou d'une autre, à l'élaboration de cet ouvrage.

Qu'il me soit permis de ne pas tous les citer de crainte d'en oublier... Toutefois, je tiens à faire une mention spéciale au Docteur P. Nogier ainsi qu'au Docteur Bourdiol pour nous avoir permis de reproduire quelques-uns de leurs magnifiques croquis mais aussi parce que j'ai amplement conscience de ma dette: sans leurs travaux de précurseurs, ce livre n'aurait pu voir le jour.

TABLE DES MATIÈRES

Introduction

UN CHEMINEMENT SCEPTIQUE

Formé à la médecine traditionnelle, j'étais loin d'être un partisan des médecines «parallèles», et ma rencontre avec l'auriculopuncture fut empreinte du plus total scepticisme, voire de déconsidération moqueuse.

Quelques jours seulement après ma soutenance de thèse, je rencontrai une camarade médecin, ancienne assistante de physiologie, qui me fit part de sa nouvelle orientation vers une acupuncture d'oreille mise au point par un certain médecin lyonnais.

Malgré toute l'estime que je portais à cette femme intelligente et particulièrement attachée à une médecine de qualité, j'avoue ne pas avoir pu m'empêcher d'afficher une moue incrédule face à une soi-disant «thérapie» qui se voulait curative par la seule application d'aiguilles sur le pavillon auriculaire!

Comprenez ma réaction! Il m'était franchement difficile de concevoir l'existence de la moindre efficacité thérapeutique – sangsues mises à part – qui aurait pris comme support ces bouts de chair égarés... Car que pouvait-il y avoir d'autre dans ces bizarres appendices, si ce n'est un peu de peau sur du cartilage, des nerfs et quelques vaisseaux secondaires? Que pouvait-on bien tirer de ces cornets fripés pour malentendants, disposés comme les deux anses d'une cruche et qui ne semblaient avoir d'autre utilité que de supporter les branches de lunettes...?

Et même dans la meilleure des hypothèses, cette méthode s'avérait de toute façon irrecevable du fait qu'elle heurtait de plein front la logique de ma longue formation universitaire fraîchement sanctionnée par un diplôme de docteur en médecine...!

J'étais confiant dans le savoir exhaustif de mes professeurs et, en toute bonne foi, je ne pouvais même pas envisager l'existence de vérités scientifiques hors de la faculté...!

Dès lors, comment aurais-je pu admettre que des fonctions aussi importantes aient pu échapper au scalpel des méthodes d'investigation modernes?

Du microscope électronique aux accélérateurs de particules, le développement technologique de moyens d'analyse hyper-perfectionnés ne nous avait-il pas conduit aux frontières de la connaissance de la matière? Et dans la mesure où l'approche médicale repose sur un axiome établissant que la maladie provient d'un trouble organique ou d'un dérèglement biologique, la logique de mes connaissances ne pouvait que me conduire à une attitude de rejet, clôturant définitivement toute amorce de discussion avant même que le débat ne fût entamé.

Dans ces conditions, comment pouvais-je même imaginer que ces «feuilles de chou» puissent posséder un quelconque pouvoir thérapeutique qui aurait pu échapper à la rigueur de la vigilance scientifique?

Tout cela me paraissait vraiment trop illusoire pour pouvoir y prêter quelque attention. C'est d'ailleurs ce que je fis en toute bonne conscience et d'autant plus aisément que, même les cas inguérissables et dérangeants – c'est-à-dire sans trouble organique – trouvaient une justification... psychosomatique!

Pourquoi devais-je me préoccuper de problèmes aussi dérisoires et superflus alors que m'attendaient les véritables combats contre les maladies! Et ce, sans compter le nombre de charlatans qui encombrent le monde des soignants afin de profiter de la crédulité, du malheur et du portefeuille des malades.

Dans toute cette histoire, je m'en voulais seulement d'avoir laissé transparaître un sourire désobligeant.

Néanmoins, désillusions et déceptions ne tardèrent pas à se manifester après seulement quelques années d'exercice de la médecine traditionnelle et de confrontations avec la dure réalité.

Je devais me rendre à l'évidence, un fossé séparait les espoirs du jeune médecin que j'étais du pouvoir effectif limité que je possédais.

Rédiger des ordonnances, distribuer médicaments et réconfort moral, en espérant et en faisant espérer une guérison trop souvent hypothétique et symptomatique, m'imprégnait d'un sentiment de malaise causé par l'insatisfaction, et cela même si la médecine hospitalière – fière de ses réalisations spectaculaires, de ses diagnostics brillants, exhaustifs et onéreux – apportait consolation et soulagement en terre d'affliction.

Quant à nous, médecins généralistes, pitoyables fantassins de cette orgueilleuse armée, étions-nous éternellement condamnés à nous raccrocher à quelques médicaments actifs?

Certes, cette période fut source de désillusions, mais aussi de contentements, de maturation, de modération, d'expériences et de réajustements. Il ne s'agit pas ici de renier cette phase qui fut non seulement nécessaire, voire indispensable, à ma formation et à ma progression, mais qui fut aussi assurément l'une des périodes les plus intéressantes de mon exercice professionnel: suivre régulièrement des patients à toutes les étapes de leur vie, dans leur cadre habituel, représente une expérience particulièrement enrichissante.

Cependant, malgré cette première tentative trop précoce et peut-être trop rationnelle, le «destin» s'arrangea pour me donner une seconde chance, mais cette fois-ci, par un détour plus malicieux...!

En vacances à l'étranger, je tombe nez à nez avec... le médecin qui me remplaçait pendant mon repos annuel. N'en croyant pas mes yeux, je lui exprime ma réprobation et mon inquiétude.

Tant bien que mal, il tenta de me rassurer en m'affirmant que son beau-frère, qui le remplaçait, était tout à fait compétent...

Au retour de vacances, je fais donc connaissance... avec le remplaçant du remplaçant. Son enthousiasme contraste visiblement avec la perspective routinière qui m'attend. Intrigué, j'écoute le récit pittoresque des guérisons spectaculaires qu'il prétend avoir accomplies, sans savoir s'il s'agit de fanfaronnades ou d'illusions compensatrices.

Quoi qu'il en soit, faute de m'avoir convaincu, il réussit toutefois à fissurer les murailles de mes certitudes en me renvoyant au souvenir désagréable de mes propres échecs. Mais cette fois-ci, je ne pouvais plus me permettre de répondre dédaigneusement par un sourire ironique...!

Aussi, quelque temps après, je me décidai malgré tout à assister à une consultation d'auriculo-puncture afin de me forger ma propre opinion.

Cependant, le déroulement de la séance me surprit encore plus que l'existence de ces hypothétiques résultats. Une fois la patiente allongée sur la traditionnelle table d'auscultation, je vis mon collègue s'asseoir derrière elle et, tandis que de sa main gauche il lui prenait en permanence le pouls radial, de sa main droite il agitait des sortes d'anneaux en plastique qui contenaient rien de moins que... des bouts de papiers colorés! Il déposait ceux-ci tantôt sur le front de la malade, tantôt sur son bras, en affirmant provoquer de la sorte une modification de l'amplitude du pouls...! Ce procédé, poursuivit-il, lui permettait de localiser sur le pavillon auriculaire les points pathologiques à traiter par l'implantation d'aiguilles à leur niveau.

Mes réticences initiales ressurgirent derechef et je ne pus m'empêcher de penser que ce procédé ressemblait davantage à un culte incantatoire qu'à une technique scientifique!

Comment l'approche ou l'apposition d'un morceau de papier coloré pouvait-il influencer l'amplitude du pouls? Comment de simples aiguilles – eussent-elles été en or massif – piquées sur un bout de chair apparemment inutile pouvaient-elles avoir un quelconque effet thérapeutique?

Supercherie ou illusion? Je ne savais que penser!

Face à mon étonnement et à mes interrogations, le médecin tenta alors de me faire ressentir cette modification du pouls, mais je ne ressentis absolument rien... si ce n'est mon sourire sarcastique intérieur!

N'avais-je pas eu raison de suspecter ces prétendues pratiques médicales tant décriées?

Pourtant, à ma plus grande surprise encore, la malade se releva soulagée de douleurs au genou dont elle souffrait depuis plusieurs semaines et qu'aucune thérapeutique classique – même des infiltrations de cortisone – n'avait réussi à calmer!

Mon incompréhension était totale, sans échappatoire possible. Je n'avais même pas le recours d'invoquer le manque de sérieux ou de rigueur de la consultation, puisque j'étais en présence d'un médecin appliquant les principes classiques de l'interrogatoire, de l'inspection et de la palpation... mais non de la prescription; au lieu de se contenter de rédiger une ordonnance en changeant uniquement la marque des médicaments usuels – comme je l'aurais fait à sa place –, il utilisa une technique thérapeutique inconnue au répertoire des traitements classiques, mais dont l'efficacité s'avéra très largement supérieure, du moins dans le cas qui nous concerne.

Mon scepticisme en fut fortement ébranlé. Je ne pouvais nier ces résultats aussi spectaculaires qu'évidents. Et pourtant, je ne compris absolument rien à ce qui venait de se passer sous mes yeux.

Pourquoi et comment de vulgaires aiguilles étaient-elles nettement plus efficaces que tout l'arsenal thérapeutique dont dispose la médecine moderne?

Que les choses soient claires. Dans cet ouvrage, il ne sera question ni de sous-estimer ou de dénigrer les progrès considérables de la médecine moderne, dont les acquis sont aussi incontestables qu'incontournables, ni de faire l'apologie des médecines «douces».

Les mille et une interrogations que cette expérience suscita en moi me poussèrent à aller plus loin afin de comprendre pourquoi le développement aussi avancé de la médecine moderne n'arrivait pas à soulager certains cas apparemment sans problèmes anatomiques, physiologiques ou psychosomatiques, alors que de petites aiguilles entraînaient une sédation immédiate de ces mêmes douleurs

Comprendre cette thérapie impliquait nécessairement une importante remise en question de mes préjugés antérieurs, sérieusement ébranlés tant par les limites éprouvantes imposées par mon exercice de généraliste que par la consultation à laquelle je venais d'assister.

Je devais, dans un premier temps, faire la part de la suggestion en m'assurant de l'existence d'une réelle efficacité puis dans un second temps, comprendre les causes de cette performance thérapeutique. Il me fallait donc étudier cette méthode en profondeur afin de l'appliquer par moi-même et en tirer peut-être profit pour soigner plus efficacement mes malades «incurables».

Aborder directement l'auriculo-médecine que j'avais vu pratiquer le jour de cette fameuse consultation aurait nécessité de trop longs mois d'apprentissage avant que je ne puisse utiliser efficacement ces techniques. Toutefois, j'appris que le Dr Nogier, inventeur de la méthode, affirmait atteindre 40 % d'efficacité en utilisant cette technique relativement simple. Il disait également que l'on pouvait apprendre l'auriculothérapie en quelques heures seulement. Celle-ci n'étant qu'une sorte de simple réflexothérapie pour laquelle chaque point du pavillon auriculaire correspondrait à un endroit précis du corps.

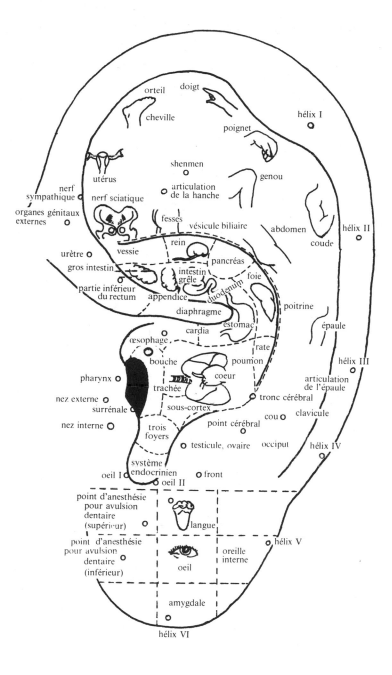

FIGURE 1
EXEMPLE DE CARTOGRAPHIE (Cartographie chinoise)

Aussi, tout en poursuivant ma pratique de généraliste «allopathique», j'introduisis progressivement cette technique thérapeutique en l'utilisant d'abord sur des malades face auxquels je me sentais particulièrement démuni.

Ces trois premières observations seront une illustration éloquente de l'efficacité obtenue par cette technique élémentaire.

Observation n° 1

Un camarade de promotion, réorienté vers d'autres activités, me téléphona un jour pour me demander de pratiquer une ponction évacuatrice sur le genou d'un de ses employés qui avait présenté spontanément un important et douloureux épanchement synovial. Je lui répondis qu'il était préférable d'effectuer ce traitement en milieu hospitalier, car celui-ci réclamait de meilleurs conditions d'asepsie. Il me demanda tout de même de m'en occuper et de faire de mon mieux.

L'examen révéla qu'une ponction évacuatrice ne s'avérait pas nécessaire. Dans l'attente d'examens complémentaires, je me contentai de lui prescrire un traitement anti-inflammatoire et antalgique, des pansements décongestionnants et surtout du repos. Cependant, face à ce jeune homme souffrant qui me faisait pleinement confiance, j'éprouvais une certaine gêne à ne pouvoir rien faire de plus; aussi, sans trop y croire, je lui implantai une aiguille semi-permanente[1] sur l'oreille, au point «genou».

Quelques mois plus tard, je reçus en consultation un jeune homme qui m'était adressé par cette même personne dont je n'avais plus entendu parler pensant que, vu l'importance du cas, l'intervention d'un spécialiste s'était avérée nécessaire.

Il me fit part de ce qui l'amenait en espérant que je le guérirais aussi vite que son copain... Car il m'apprit que, dès le lendemain

---

1. L'aiguille semi-permanente est une aiguille de quelques millimètres, en forme de harpon afin de pouvoir rester accrochée discrètement et plus longtemps sur le pavillon de l'oreille.

de la consultation, celui-ci lui avait donné un coup de main pour déménager!

Observation n° 2

Un jour d'hiver, depuis mon bureau, je sentis les murs vibrer sous d'impressionnantes quintes de toux qui provenaient de la salle d'attente. Je compris la raison d'un tel effet quand un colosse au thorax impressionnant entra dans mon bureau!

Face à cette classique bronchite, je prescrivis le traitement habituel: antibiotiques et antitussifs. Néanmoins, devant l'ampleur des manifestations, je me demandai tout de même s'il ne fallait pas lui injecter une ampoule d'un puissant antitussif. Puis, je me dis qu'il serait peut-être possible d'essayer d'abord un traitement auriculaire. Tout de suite après la pose d'une aiguille semi-permanente au point «poumon», la toux disparut comme par enchantement...!

Le patient ne sourcilla même pas, paya et s'en alla... Quoi de plus naturel que d'être soulagé par un médecin!

Observation n° 3

Une mère m'amena son bébé. Depuis quelques jours, il prenait difficilement son biberon. Sa bouche était parsemée d'aphtes qui rendaient toute ingurgitation alimentaire très douloureuse.

Sachant que les pommades habituellement prescrites ne peuvent enrayer immédiatement cette gênante pathologie, je tentai alors une stimulation électrique[1] au point «maxillaire».

Lors de la consultation suivante, la mère m'apprit que tout de suite après ce traitement auriculaire, l'alimentation avait pu être reprise normalement et que les aphtes n'avaient mis que quelques jours à disparaître!

---

1. La stimulation électrique remplace l'application plus douloureuse de l'aiguille.

Dorénavant et d'une façon qui ne laissait plus le moindre doute, je savais que l'oreille recelait en elle un important pouvoir thérapeutique, mais je n'en comprenais toujours pas pour autant le mécanisme d'action. De plus, parallèlement à mon incompréhension, mon agacement augmentait face à des résultats aussi convaincants qu'inexpliqués; en effet, dans le meilleur des cas, on ne propose aucune théorie et l'on se contente d'attendre des moyens d'investigation plus élaborés qui permettront, peut-être un jour, de fournir une explication satisfaisante, alors que dans d'autres cas, des théories hasardeuses sont avancées au risque bien mérité d'être rejetées en bloc, sans que l'on ait même pris la peine de distinguer l'effet thérapeutique réel de théories trop facilement réfutables.

Il est bien évident que cela ne m'empêcha pas d'appliquer avec toujours plus d'efficacité ces techniques, tout comme, pendant de nombreuses décennies, on utilisa l'aspirine sans en connaître le mécanisme d'action! L'important n'est-il pas d'aider le malade par n'importe quel moyen?

L'exercice combiné de ces deux approches différentes m'apprit à cerner leur respective spécificité d'action ainsi que leurs utilisations préférentielles: je ne rejetais ni l'une ni l'autre, essayant au contraire de les concilier synergétiquement en vue d'une pratique médicale plus large et plus efficace.

De jour en jour, de patient en patient, de formation en formation, j'approfondissais cette méthode au point de faire des découvertes personnelles tout à fait étonnantes et de réaliser des guérisons encore plus spectaculaires...

Observation n° 4

Depuis une dizaine d'années, un homme souffrait de fortes douleurs à l'estomac, et malgré la prise des très efficaces médicaments antiulcéreux actuels, il continuait à souffrir et à maigrir inexorablement. Pourtant, dès le premier traitement punctural, les douleurs s'atténuèrent considérablement.

Entre-temps, il revit son gastro-entérologue qui, sans préambule, lui fixa la date pour l'intervention de la dernière chance.

Le patient me décrivit alors l'air consterné du spécialiste quand il lui rapporta que, du jour au lendemain, les douleurs avaient disparu après l'application de quelques aiguilles...!

Après de tels résultats, je m'étais attendu naïvement à recevoir au moins un appel téléphonique de la part de ce médecin, dans l'espoir d'éviter éventuellement à d'autres patients «incurables» le recours à la chirurgie... mais mon attente fut vaine!

Malheureusement, il y aura encore de nombreux silences, de nombreuses réactions de déni massif, de discrédit ironique du genre: «Nous voici revenus au Moyen Âge!»

Cette phrase – tout aussi désobligeante que je l'avais moi-même été – fut proférée par un ORL (oto-rhino-laryngologiste), qui non seulement ignorait tout de ce moyen thérapeutique mais qui, en outre, avait devant lui un enfant qu'il n'avait pas réussi à guérir d'une rhinopharyngite vieille de six mois et que deux séances seulement d'auriculothérapie avaient suffi à enrayer, en plus de relancer une croissance jusqu'alors interrompue...!

Pourtant, le cas de certains malades abandonnés à leur «incurabilité» me fournit le courage nécessaire pour rompre ce silence complice en exposant des méthodes encore plus performantes qui peuvent parfois les soulager.

Certains se demanderont alors pourquoi il a fallu tant d'efforts pour écrire ce livre? Je répondrai: parce que toute vérité qui nous oblige à reconsidérer nos repères habituels n'est pas toujours facile à entendre, et ce d'autant plus que cet ouvrage ne manquera pas de susciter de profondes remises en question, tant au niveau de la théorie et de la pratique médicales (allopathique et médecines dites alternatives) qu'au niveau essentiel, philosophique, individuel, au niveau de la perception globale et humaniste de l'homme.

Dans ce contexte, nous comprendrions légitimement la réaction de certains lecteurs qui, à la lecture de ces pages, s'écrieraient:

«Impossible!»

«Inconcevable!»

Et pourtant...! Bien des éléments s'opposeront fermement à ces tentatives de rejet, puisque non seulement toutes les constatations rapportées dans cet ouvrage furent maintes fois vérifiées, mais encore pourront l'être autant de fois qu'il le faudra, et cela d'autant plus aisément que les résultats obtenus sont très souvent immédiatement visibles notamment lors du traitement des douleurs que ces méthodes thérapeutiques font disparaître instantanément dans au moins 90 % des cas.

Cependant, nous n'exigeons du lecteur aucun blanc-seing, puisque la cohérence et la rigueur de nos propos, ainsi que l'objectivation de la plupart de nos résultats par des observateurs avisés (professeurs d'université, médecins, infirmiers, dentistes...) devraient déjà entamer le scepticisme initial.

D'autre part, aucun postulat ni aucune sympathie partisane ne sont requis, puisque nous avons construit notre développement à partir d'un terrain entièrement dégagé. De cette façon, tout un chacun pourra nous suivre dans le chemin que nous avons emprunté.

Certes, certaines données puiseront aux sources bibliques mais elles n'auront servi alors qu'à susciter des hypothèses ou à élaborer des schémas structurels, à l'instar de Freud qui a utilisé des mythes grecs pour illustrer ses découvertes.

Par ailleurs, l'impossibilité d'exposer de but en blanc les conclusions de mes recherches m'a poussé à présenter cet ouvrage sous la forme de l'histoire d'une découverte. Cette présentation a l'avantage d'épouser les processus saccadés de maturation d'une pensée complexe, imbriquant intimement intuition et rationalisation, tout en permettant au lecteur critique de contenir ses *a priori* et ses réactions de défense, par la possibilité qui lui est donnée d'analyser pas à pas la conduite de notre démarche.

L'ensemble de ces considérations nous a fait adopter une neutralité impérative qui s'exprimera par le seul exposé des faits constatés en l'absence de toute considération personnelle.

Commençons donc, ensemble, cette passionnante aventure...

Chapitre 1
VERS L'APPRENTISSAGE
DE L'AURICULO-PUNCTURE

1) Un embryon dans l'oreille

2) Un «sytème radar» perfectionné

3) Dialogue avec le corps humain

4) La «bulle» énergétique

1) UN EMBRYON DANS L'OREILLE

La première étape de mon avancée débuta lors de mon cheminement quelque peu «forcée» avec l'auriculothérapie et les découvertes cardinales du Dr Nogier. L'importancc fondamentale de ces données dans l'élaboration de notre démarche nous imposa d'exposer clairement, d'une façon imagée et originale, ces bases théoriques. Aussi cet impératif nous a-t-il fait préférer une présentation nettement différente des textes classiques de l'auriculothérapie auxquels nous renvoyons le lecteur intéressé[1].

Les origines de la découverte remontent à l'année 1951. À cette époque, des médecins de la région lyonnaise découvrirent, chez certains de leurs malades, une curieuse cautérisation du pavillon auriculaire. Ceux-ci prétendirent avoir été soulagés de névralgies sciatiques par l'entremise de cette simple et seule intervention.

---

1. Voir la liste des ouvrages des Drs Nogier et Bourdiol à la fin du présent ouvrage.

Ces résultats, aussi inattendus que spectaculaires, poussèrent le Dr Nogier à entreprendre des recherches dans cette direction. Il s'avéra, effectivement, qu'il existait une correspondance entre le pavillon auriculaire et toutes les parties du corps. Celui-ci découvrit, en outre, qu'une représentation du corps se projette sur l'oreille, tel un fœtus dans sa position intra-utérine: tête en bas, et circonscrite au niveau du lobe, alors que les membres se localisent au sommet de l'auricule (voir figure 2).

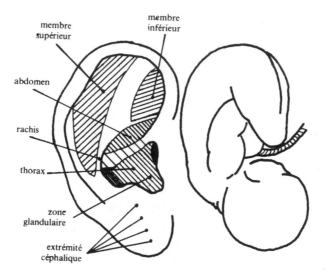

FIGURE 2
LE PAVILLON ET L'IMAGE FŒTALE
(D'après le livre du Dr Nogier, *Introduction pratique
à l'auriculothérapie*, Éditions Maisonneuve)

Plus tard, le Dr Nogier découvrit également que plusieurs représentations du corps se projettaient sur le pavillon auriculaire et que chaque point cartographié correspondait d'une façon réflexe à une zone corporelle donnée. Mais ces points ne s'inscrivent sur l'auricule qu'avec l'apparition d'un processus pathologique.

Ceux-ci peuvent être détectés soit au moyen d'un appareil électrique[1], soit par l'apparition d'une zone auriculaire douloureuse à la pression.

Les points ainsi détectés seront traités soit par l'application d'aiguilles (or, argent ou acier) à leur niveau, soit par des massages dirigés ou par des stimulations électriques.

Ce genre de détection a permis à une équipe américaine de vérifier expérimentalement l'existence d'une projection de l'image du corps humain au niveau auriculaire. L'étude a été effectuée à la «Pain clinic and management clinic», à Los Angeles, par les Drs Terrence D. Dessen, Richard J. Kroenig et David E. Bresler, «afin de vérifier les affirmations d'acupuncteurs français selon lesquels une image somatique du corps humain apparaît sur l'oreille externe». Voici leurs comptes rendus d'observation:

«Quarante patients ont été examinés médicalement pour déterminer les parties du corps où il existait une douleur musculo-squelettique. Chacun des patients fut ensuite recouvert d'un drap afin de dissimuler toute anomalie possible. Le médecin effectuant le diagnostic auriculaire ne reçut aucune information concernant l'état du patient. Il se contenta d'examiner l'oreille de ce dernier pour déterminer d'éventuelles régions de conductivité électrique et d'accroissement de la sensibilité au toucher. Une concordance de 75,2 % apparut entre le

---

1. Cet appareil a été mis au point d'après les travaux du Dr Niboyet. Dans sa thèse de doctorat, il montre que les points d'acupuncture chinois possèdent une résistance cutanée à l'électricité plus faible que les téguments adjacents. Il existe à leur niveau une conductibilité accrue et orientée. Un phénomène analogue existe pour les points auriculaires.

diagnostic médical et les diagnostics auriculaires. Ces résultats renforcent la théorie selon laquelle il existe sur l'auricule humaine une représentation somatotopique du corps[1].»

Depuis la découverte de l'auriculothérapie par le Dr Nogier, cette «médecine douce» a pris un essor remarquable tant en France, qu'en Europe en général, qu'aux États-Unis et qu'en Chine. Ses capacités diagnostiques et thérapeutiques rapides, précises et efficaces, son absence de danger et surtout ses multiples réussites expliquent son succès. En fait, ces possibilités thérapeutiques ne sont pas véritablement une découverte, puisque celles-ci étaient déjà connues depuis fort longtemps, et l'histoire de la médecine révèle l'existence de pratiques ancestrales s'apparentant à une auriculothérapie rudimentaire qui remonte aux Égyptiens de l'Antiquité. Hippocrate, après son séjour en Égypte rapportait qu'il existait des troubles de l'éjaculation guéris par l'incision de certaines veines se trouvant derrière l'oreille.

Au XVIIIe siècle, Vasalva précise l'étude anatomique des zones à cautériser pour le traitement des douleurs dentaires, et selon le professeur Rabishong de Montpellier, la cautérisation auriculaire dans la sciatique se pratiquait depuis longtemps et s'accompagnait de résultats, semble-t-il, très encourageants. Cependant, l'incompréhension, ainsi que le manque de reproductibilité contribuèrent à l'abandon progressif de cette technique par la médecine officielle.

Il faudra attendre l'intelligence créatrice, l'esprit de recherche et le travail acharné du Dr Nogier pour réintégrer ces pratiques empiriques dans le giron d'une approche scientifique[2].

---

1. Observation tirée de la revue *Auriculo-médecine*.
2. L'auriculothérapie a été reconnue officiellement par l'OMS (Organisation mondiale de la santé).

2) UN «SYSTÈME RADAR» PERFECTIONNÉ

Après quinze années de pratique et de recherche en auriculo-thérapie, le Dr Nogier fit une découverte essentielle qui allait complètement changer son ancienne approche au point de propulser l'archaïque et antique auriculothérapie vers d'autres sphères beaucoup plus performantes:

À une certaine étape de ses travaux, le Dr Nogier prit l'habitude d'examiner les oreilles de ses malades tout en leur prenant le pouls radial. Il s'aperçut alors que le seul fait de toucher l'oreille entraînait d'importantes modifications du pouls, et pensant qu'il s'agissait d'un réflexe particulier au pavillon auriculaire lié au cœur, il le baptisa du nom de R.A.C.[1]. Par la suite il précisa et généralisa le phénomène en constatant que la stimulation de n'importe quelle partie du corps provoque également cette variation spécifique du pouls. Bien plus, la moindre modification du milieu environnant le corps sur un rayon d'environ 60 cm provoque l'émission de ce signal vasculaire spécifique. Cette propriété insolite permet de comparer analogiquement le corps humain à une sorte de «système radar» hyper-perfectionné qui perçoit la plus infime des variations (visuelle, sonore, thermique...) survenant dans son champ opérationnel. La moindre intrusion, la moindre présence étrangère parvenant dans cette zone de surveillance engendre instantanément une réaction du système vasculaire qui se traduit par un changement particulier du pouls, en l'occurrence par la perception du R.A.C.

Le célèbre professeur Leriche avait déjà observé ce même phénomène dans un contexte pathologique, en soulignant avec insistance que «la pathologie est un amplificateur puissant des phénomènes naturels inaperçus sans elle».

Après avoir opéré un homme de trente-neuf ans d'un anévrisme artério-veineux, il constata sur celui-ci un phénomène étrange.

---

1. Réflexe auriculo-cardiaque.

«Au troisième jour, quand je défis le pansement, au moment où je décollais les bandes d'adhésif qui fixaient la gaze sur la cuisse, la dilatation fémorale signalée et l'artère toute entière se mirent à battre violemment. C'était visible à travers le pansement. Je laissai se calmer les battements puis j'excitai la peau. Aussitôt, les battements violents, désagréablement perçus par le malade, reprirent et ceci à plusieurs reprises. Il en fut de même les jours suivants. Aussi longtemps que l'on ne touchait pas la peau, le battement artériel était normal et le malade ne le percevait pas. Dès que l'on touchait la peau, la pulsation augmentait de force et de rythme et le malade percevait distinctement chaque battement. Au mois d'octobre, le malade fut revu après un mois de convalescence. Il me raconta qu'il avait observé avec soin le phénomène qui m'avait intéressé. Il n'y avait aucun doute, toute excitation de la peau de la cuisse faisait toujours et immédiatement apparaître des battements artériels violents et douloureux. Effectivement, je pus immédiatement contrôler son observation. "Il y a plus, me dit cet homme intelligent, pendant ma convalescence, quand je lisais un roman policier, dès que la situation devenait empoignante, je me trouvais interrompu dans ma lecture par la violence des battements artériels de ma cuisse, alors que sur les autres artères je ne sentais rien." Ne vous récriez pas, l'observateur était de qualité et je ne vois là rien qui me surprenne. Je vous répète ce que je vous ai dit plusieurs fois: la pathologie est un amplificateur puissant des phénomènes naturels inaperçus sans elle.»[1]

Cette dernière phrase, trop essentielle pour ne pas être répétée, révèle que pour le professeur Leriche, ce phénomène vasculaire pathologique n'est en fait que l'expression amplifiée d'un phénomène physiologique trop discret pour être perçu dans des conditions normales. Le trouble pathologique n'avait qu'intensifié le mécanisme physiologique qui devait être reconnu par le Dr Nogier dans la manifestation du R.A.C.

---

1. Dans *physiologie pathologique et chirurgie des artères – principes et méthodes*, 1943.

Cette observation riche en enseignements permet également d'introduire une autre propriété intéressante du «système radar»: celui-ci répond non seulement aux changements extérieurs (toucher...), mais également intérieurs (émotions fortes...) par un signal vasculaire **inconscient.**

Étant donné l'importance de ce réflexe dans la suite de notre exposé, il s'avère nécessaire d'insister sur ce phénomène très particulier qui sera la clé de voûte de notre démonstration.

Comment perçoit-on la manifestation du R.A.C.? Cette modification particulière du pouls ne correspond pas à un changement de la fréquence des pulsations, mais à une variation de l'amplitude du pouls. La pulpe des doigts appliquée sur l'artère radiale ressent un brusque ressaut inhabituel, comme si le pouls avait augmenté subitement d'amplitude. En effet, tout se passe comme si cette modification provenait d'un changement de niveau de palpation que l'on effectuerait pour percevoir le pouls.

Comment procède-t-on pour percevoir le R.A.C.? Il faut d'abord placer son doigt sur l'emplacement où le pouls est habituellement perçu, puis, tout en ne changeant pas de place, il faut relâcher progressivement la pression jusqu'à ne ressentir aucune pulsation physiologique; dès lors, une fois la bonne position ainsi que la juste pression déterminées, la pulpe du doigt ressentira quand même une pulsation, non plus physiologique, mais déclenchée par une stimulation quelconque (par exemple, par une légère pichenette), et c'est ce phénomène que l'on appelle le R.A.C.!

Toutefois, c'est justement cette très minime modification du pouls à l'état basal qui entraîne les difficultés rencontrées pour objectiver ce phénomène. Dans l'état actuel des techniques, il n'existe aucun appareillage susceptible de remplacer de façon constante la finesse de perception des récepteurs digitaux[1], et la seule objectivation que l'on possède actuellement est un enregis-

---

1. Sous un centimètre de peau, on ne compte pas moins de 200 terminaisons de nerfs fins et autant de corpuscules terminant les nerfs de gros calibres.

trement effectué par le Dr Bricot à l'aide d'un «doppler» bidirectionnel (voir figure 3):

AUCUNE STIMULATION TRACÉ DE RÉFÉRENCE

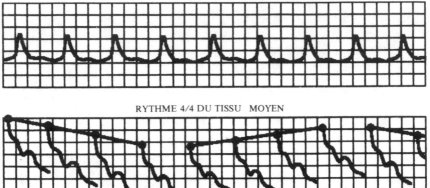

RYTHME 4/4 DU TISSU MOYEN

FIGURE 3
ENREGISTREMENT PAR VÉLOCIMÉTRIE DOPPLER DU RÉFLEXE
AURICULO-CARDIAQUE (R.A.C.)

La courbe supérieure de référence a été obtenue en enregistrant le pouls radial d'un sujet donné en état de relaxation et la courbe inférieure provient du même sujet sur lequel on exerce une certaine stimulation auriculaire qui provoque physiologiquement[1] une modification particulière du pouls: quatre pulsations fortes suivies par quatre pulsations faibles. Or, l'enregistrement du Dr Bricot révèle également cette séquence caractéristique...!

La perception constante de cette infime modification du pouls requiert habituellement un long et fastidieux apprentissage, toutefois il n'est pas rare de voir certains débutants le sentir dès leurs premières tentatives.

En outre, écrira le Dr Bourdiol:

«La preuve la plus manifeste réside dans le tableau qu'offrent des médecins initiés à cette méthode, examinant

---

1. D'après l'enseignement du Dr Nogier.

un même sujet sans se consulter: ils ressentent ensemble, simultanément, une variation identique du pouls.

»On obtient, par ces séries d'examens répétées, une concordance absolue dans la perception du déclenchement, du sens et de la durée d'un même phénomène. C'est donc objectiver ce phénomène. Et depuis que le réflexe du pouls est connu, étant donné le nombre des observations recueillies par nous-même et nos élèves, nous réalisons là une expérimentation statistiquement valable.

»Il faut remarquer que c'est sur des arguments de ce **seul** type que se fonde la réalité des sensations colorées, qui ne font pourtant de doute pour personne, sauf peut-être pour les aveugles[1].»

Mais si cette modification du pouls ne fait aucun doute, par contre nous ignorons tout de son mécanisme d'action. Ce que nous savons, c'est que le R.A.C. ne peut être rapporté à un simple réflexe qui se formerait au niveau de la moelle épinière pour être véhiculé ensuite par des voies trop simples pour expliquer un phénomène aussi complexe. Le cœur non plus ne peut être tenu pour responsable de cette variation, puisque ce réflexe est également perceptible chez des personnes porteuses d'une pile cardiaque et dont le rythme cardiaque est alors seulement soumis aux stimulations électriques d'un appareillage.

Cette réponse du «système radar» ne dépend ainsi ni du système réflexe médullaire ni du cœur et proviendrait, selon les affirmations du Dr Nogier, de centres cérébraux supérieurs plus élaborés. Pour illustrer son hypothèse de fonctionnement, celui-ci compare le système auquel appartiendrait le R.A.C. à un ordinateur qui comporterait:

— un récepteur d'informations: la peau;
— une mémoire: le cerveau;
— une imprimante donnant des réponses au niveau du pouls: le R.A.C.

---

1. Dr Bourdiol, *L'auriculo-somatologie*, Éditions Maisonneuve.

Car, pour lui, le revêtement cutané «verrait»[1] en quelque sorte les informations recueillies, les analyserait et les communiquerait au pouls par des voies particulières...

Tout semblerait en effet découler du bon sens qui voudrait attribuer aux centres supérieurs cérébraux[2] la paternité du mécanisme du R.A.C. Cependant, plusieurs éléments s'opposent formellement à de telles suppositions.

Premièrement, la peau n'a strictement rien à voir dans ce système et une simple expérience permet de réfuter pareille hypothèse. En effet, quand on empêche la peau de «voir» en recouvrant tout le corps d'une substance opaque, le R.A.C. continue quand même à répondre en écho aux différents stimuli qui pénètrent, malgré l'obscurité et l'isolation, dans le champ du «radar»!

Deuxièmement, dans l'avant-dernier chapitre, nous décrirons une expérience qui démontre formellement la non-participation du système cérébral dans le mécanisme d'action du R.A.C.

Dès lors, la question reste ouverte et l'on se demande bien à quel système on pourrait attribuer ce rôle de «radar» qui peut «voir», dans le noir, en avant, en arrière, en haut, en bas et en nous, qui «balaie» en permanence un si large champ opérationnel, et qui reconnaît toute intrusion étrangère et le signifie en une fraction de seconde à notre organisme par l'intermédiaire du R.A.C.

3) DIALOGUE AVEC LE CORPS

Avec la découverte du R.A.C., l'auriculothérapie, jusqu'alors simple réflexothérapie auriculaire, se transforma en un système inédit et original de dialogue avec le corps.

---

1. «Cette notion, je le souligne, suppose que la peau puisse reconnaître et "voir" les différentes stimulations qui la sollicitent.» Dr Nogier, *L'homme dans l'oreille*, Éditions Maisonneuve.

2. «Sans le cerveau, il serait impossible d'avoir à notre disposition le réflexe auriculo-cardiaque.» Dr Nogier, *L'homme dans l'oreille*, Éditions Maisonneuve.

Nous savons déjà que le corps répond au moyen du R.A.C. à certaines «intrusions», et ceci tant d'un point de vue quantitatif (nombre de pulsations réactionnelles qui augmente avec l'importance du message communiqué...) que d'un point de vue qualitatif (le pouls peut être effondré, coupant, filant, vibrant...).

Ainsi, avec la découverte du R.A.C. nous disposons d'un instrument de mesure inestimable, car ce signal vasculaire réflexe est non seulement objectif, mais précis, fiable, d'un abord facile et qui permet d'être à l'écoute des réponses émises par le corps lorsque celui-ci est interpellé par divers stimuli.

Dès lors, en possession d'éléments de réponse de la part du corps, le problème consiste à savoir comment poser une question suffisamment simple et claire pour obtenir du R.A.C. une réponse correspondante, une réponse en quelque sorte «purifiée» de parasites, une réponse en rapport direct avec le stimulus énoncé?

Pour ce faire, l'on dispose d'anneaux-tests (voir figure 4) qui sont composés de deux lamelles en plastique transparent. Ceux-ci ne sont en fait que des supports qui permettent d'enserrer certaines substances (organiques, minérales, filtres couleurs...) qui, elles, constituent les termes du langage utilisé pour échanger des renseignements avec le corps. Nous comprendrons ce procédé étrange au fur et à mesure de notre progression.

La découverte de ce nouveau moyen de communication avec le corps marqua le passage et le développement d'une simple technique, l'**auriculothérapie**, à une approche médicale originale, l'**auriculo-médecine.** Par simplification terminologique, nous utiliserons le terme plus générique d'**auriculo-puncture**, englobant ces deux approches fort différentes dans leur pratique, mais communes dans leur objet et leur mécanisme d'action.

Tout paraîtrait relativement simple si l'on savait interpréter les différents messages émis par le R.A.C. Mais voilà, que veulent-ils dire? Que veulent-ils nous faire entendre?

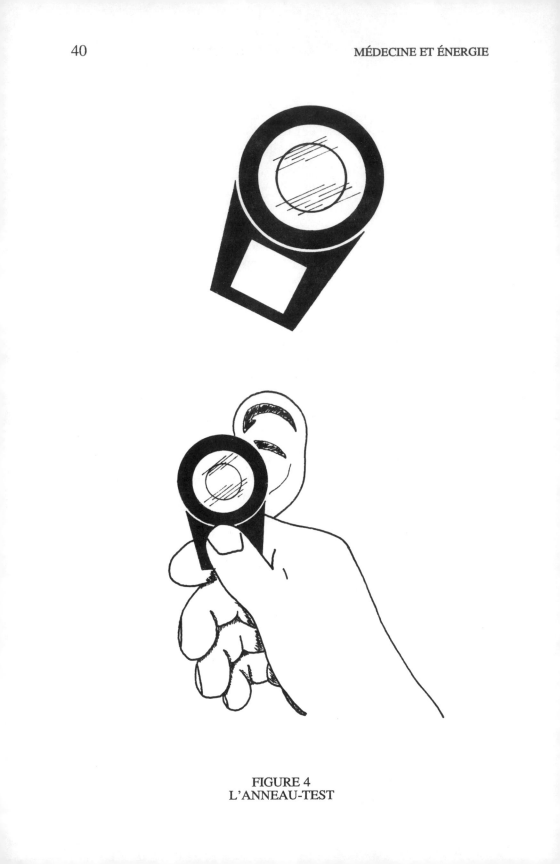

FIGURE 4
L'ANNEAU-TEST

Si le R.A.C. peut être comparé à la réponse modulable de la voix, le système des anneaux-tests représenterait alors la structuration en «mots» distincts qui composent le vocabulaire de ce langage. Le système des anneaux-tests, porteurs de paramètres isolés, permet ainsi non seulement de formuler intelligiblement les questions adressées au corps, mais encore d'identifier clairement les réponses vasculaires qui peuvent alors être mises directement en rapport avec l'énoncé du stimulus contenu dans l'anneau-test. Tout l'art de l'auriculo-médecin réside dans sa plus ou moins grande maîtrise de cette langue corporelle, qui peut aller du simple balbutiement instructuré du nouveau-né à l'énoncé poétique...

Comment communique-t-on avec le corps?

Prenons pour exemple un anneau-test «foie» constitué simplement d'un fragment anatomique de l'organe foie. Par commodité d'utilisation, celui-ci est enserré entre les deux lamelles de l'anneau-test qui est alors couramment dénommé: anneau-test «foie». Approchons-le suffisamment près du corps pour pénétrer dans le champ du «radar», puis écoutons la réponse du pouls. Si un R.A.C. se manifeste, cela indique, conformément à notre analogie précédente, que ce «foie» est perçu comme un élément «étranger» puisqu'il déclenche le signal d'alarme. Or, notre organisme est pourvu d'un foie et il n'y a aucune raison à ce que cet anneau-test soit considéré comme «perturbateur». À moins que le foie ne s'inscrive plus désormais dans la normalité à laquelle est accoutumé le système «radar»: l'auriculo-médecin sera ainsi averti de l'existence d'un problème à ce niveau.

L'éventail des échanges possibles devient pratiquement illimité, mais l'auriculo-médecin expérimenté saura poser la question adéquate avec les mots requis.

À cette aide diagnostique s'ajoute un appoint thérapeutique important. En effet le signal du R.A.C. permet d'instituer un traitement punctural d'autant plus précis et efficace qu'il sera guidé par les informations communiquées par les modifications du pouls. Ce n'est plus le repérage grossier de l'auriculothérapie (douleur provoquée par le pincement) qui est utilisé pour détecter la zone à traiter, mais le subtil et indolore avertissement du R.A.C. Sans tâtonnements laborieux, le point pathologique pourra alors être piqué à la fraction de millimètre près. Le tireur d'élite remplace ici la salve imprécise.

Pour illustrer de façon pratique notre propos, nous prendrons le cas simple de la désintoxication tabagique. Celle-ci permettra non seulement de décortiquer le dialogue institué entre le médecin et son malade, mais encore servira de support à notre interrogation sur les spectaculaires et incompréhensibles guérisons de l'auriculo-puncture.

Observation n° 5

Le maire d'une ville importante, fumeur invétéré, aux lourdes responsabilités, me fut amené par sa femme qui souhaitait l'aider à cesser de fumer. Lui n'avait nullement envie de le faire, tant la cigarette lui servait d'exutoire. Une seule séance suffit à lui enlever l'envie de fumer, et ce sans pour autant provoquer de contre-réaction boulimique ou agressive; bien au contraire, sa désintoxication s'accompagna d'une relaxation importante.

Plus que tout autre, le cas de la désintoxication tabagique étonne. Comment concevoir que l'implantation de quelques aiguilles sur le pavillon de l'oreille suffise à entraîner l'oubli et le dégoût d'une cigarette fumée au rythme de trois paquets par jour pendant plus de vingt ans? Comment admettre une aussi radicale et instantanée transformation quand on sait combien les tentatives volontaires coûtent en efforts, en agressivité et en prise de poids?

Comment procède-t-on pour parvenir à un tel résultat?

— La première étape est représentée par la réalisation de l'anneau-test «tabac». Pour ce faire, le médecin prend quelques grains du tabac habituellement fumé et les dispose entre les deux lamelles transparentes de l'anneau-test, constituant ainsi le mot-clé à utiliser dans ce but.

— Dans un deuxième temps on interroge le corps de la façon suivante: on approche le mot-clé «tabac» du pavillon auriculaire selon des techniques déterminées (voir figure 5).

Ces gesticulations effectuées en l'air expriment en fait: quel est le degré de dépendance vis-à-vis de ce tabac précis?

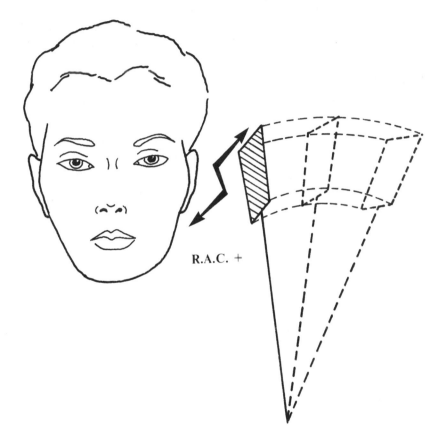

R.A.C. +

FIGURE 5
APPROCHE D'UN ANNEAU-TEST DE L'OREILLE

Il nous faut pour l'instant admettre que l'auriculo-médecine inaugure une autre et inhabituelle façon de procéder dans laquelle les repères traditionnels ne sont plus d'aucune utilité puisque ses structures sont différentes et qu'elles sont régies par des lois qui lui sont propres.

L'auriculo-médecine utilise le pavillon auriculaire comme une représentation miniaturisée du corps humain. Les différentes données sont énoncées sous forme de micro-informations, qui n'ont bien entendu aucune influence sur l'organisme mais qui agissent «comme si...»; d'où le nom de modèle analogique qui lui est attribué, d'où la prise de quelques grains de tabac qui agissent comme si... c'était une véritable cigarette...

— En troisième lieu, le corps répond dans deux directions. Il nous fait part du degré de dépendance qui se mesure par la distance à laquelle le R.A.C. se déclenche en approchant le test «tabac» du corps. Ainsi, chez un fumeur invétéré, l'anneau-test provoque une forte salve du R.A.C. à plus de 40 cm. Tout se passe comme si le corps reconnaissait de loin l'objet désiré et le manifestait – à la manière du chien de Pavlov – par une réaction du pouls proportionnelle à son degré d'attachement à la cigarette. De plus, sur le pavillon auriculaire apparaissent les points qu'il faudra corriger pour obtenir une désintoxication tabagique. Pour les détecter, l'auriculo-médecin passe l'anneau-test «tabac» au-dessus du pavillon, et à la verticale de chaque point «tabac» inscrit, le R.A.C. se manifeste. Il ne faut jamais perdre de vue que l'oreille fonctionne de la même façon qu'un terminal d'ordinateur sur lequel ne s'inscrivent que les données correspondant au mot-clé introduit.

— À la quatrième étape, les points ainsi déterminés sont piqués selon des méthodes appropriées qui doivent les faire disparaître définitivement pour obtenir le maximum d'efficacité.

— Enfin, la dernière étape correspond à une double vérification: non seulement tous les points «tabac» doivent disparaître, mais encore l'introduction de l'anneau-test «tabac» dans le champs du «radar» ne devra plus provoquer de modification du R.A.C., comme si celui-ci n'avait jamais posé de problème. En résumé, on a demandé au corps de nous indiquer les points qu'il désire voir piquer.

Cependant la compréhension de ce mode de communication et le décodage de ce nouveau langage corporel original et prometteur ne diminuent en rien l'intensité de notre harcelant questionnement: Que se passe-t-il? À quel phénomène inconnu touchons-nous? Quel est son principe d'action? D'où provient cette fulgurante et incontestable efficacité thérapeutique?

Autant d'interrogations auxquelles nous essayerons de répondre dans cet ouvrage.

4) LA «BULLE» ÉNERGÉTIQUE

Avec la mise au point d'un système de communication corporelle, le développement pourtant capital de l'auriculo-médecine marqua en fait un temps d'arrêt. Celui-ci étant dû, à notre avis, à une saturation induite par les innombrables mots clés qui ne purent être ramenés à un système syntaxique simplifié.

Parmi les nombreuses et complexes descriptions de l'auriculo-médecine, l'une d'entre elles ne laisse pas de surprendre, tant par son originalité que par le peu de place qui lui est faite dans cette tentative d'organisation.

En effet, les théories de cette nouvelle science décrivent non seulement l'existence d'une circulation énergétique à la surface du pavillon auriculaire[1], mais constatent également la présence d'un halo énergétique qui recouvre l'ensemble du corps (voir figure 6). Ils attribuent ce phénomène à la conséquence d'une émanation corporelle à laquelle ils ne confèrent aucun rôle précis. Une seule petite page lui est consacrée et rappelle son existence...

---

1. «Laissons un barrage mécanique au niveau de l'isthme du pavillon... Effectuons alors des mesures du tissu auriculaire sus et sous-jacent. Nous détectons très vite l'apparition d'un déséquilibre: un R.A.C. qui dure et s'amplifie graduellement dans la partie située au-dessus du barrage, et un R.A.C. qui devient négatif et s'effondre parallèlement dans la partie en aval. La suppression du barrage annule le phénomène. Il existe donc «quelque chose» qui s'accumule au-dessus du barrage, comme le ferait une circulation périodique, alors qu'une dépression se produit en aval et qui disparaît dès que l'obstacle est levé.» Dr Bourdiol, *L'auriculo-somatologie,* Éditions Maisonneuve.

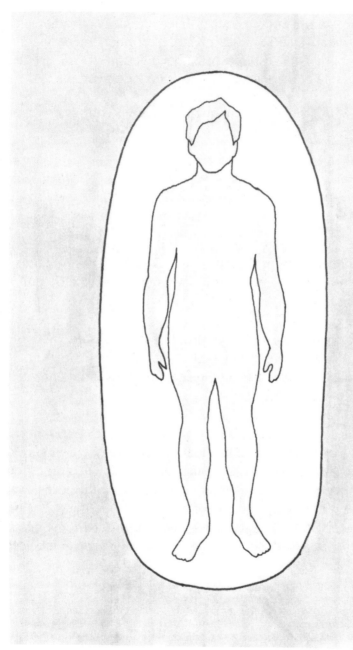

FIGURE 6
LA «BULLE» ÉNERGÉTIQUE

Pourtant certains faits étonnants ne manquent pas d'orienter l'attention sur ces descriptions apparemment sans importance, en nous interpellant sur l'exacte valeur à accorder à ce halo énergétique. A-t-il un rapport avec l'aura photographiée par l'effet Kirlian[1]? Mais d'abord qu'est-ce que l'énergie? Est-ce une simple émanation irradiante du corps ou bien un élément capital pour la compréhension de notre être, comme le laisseraient supposer les nombreuses interrogations qu'elle suscita au cours des siècles ainsi que les diverses dénominations qu'elle reçut. Appellations diversifiées qui témoignent de l'intérêt et du trouble que l'intuition de son existence provoqua selon les différences de perception ou d'approche conceptuelle:

Les savants soviétiques la qualifièrent d'**énergie bioplasmique**; Wilhelm Reich la nomma **orgone**; les yogis d'Inde orientale l'identifièrent au **prana**; Reichenbach parlait de **force odique**; pour les Kahunas, elle est **mana**; Paracelse l'appela **munia**; les alchimistes mentionnent **le fluide vital**; Mesmer parla également de **fluide**, mais aussi de **magnétisme animal**; Eeman la surnomma **force x**; Bruner **énergie cosmique**; Hippocrate la qualifia de

---

1. L'effet photographique Kirlian a été mis au point en union soviétique par Kirlian. Par une technique appropriée (courant électrique de faible intensité et de haute fréquence passant dans la pellicule), Kirlian réussit à révéler photographiquement l'existence d'une structure lumineuse à l'intérieur et surtout à la périphérie de certains objets vivants ou inanimés. Ainsi, la feuille d'un arbre photographiée selon ces techniques présente une luminosité différente selon sa période de croissance, pour disparaître lorsqu'elle est fanée. De même une feuille mutilée devient moins visible.

L'effet **Kirlian** a permis d'objectiver un phénomène d'échange de luminosité entre un humain et une plante, ou entre deux individus. Ainsi, si l'on approche une feuille mutilée à six centimètres des mains de certaines personnes, il est possible d'observer différents types de réactions qui évoquent la notion de «main verte» et de «main marron». Car, dans un certain nombre de cas (environ 25 %), cette feuille augmente de luminosité par rapport à une feuille témoin, comme si un transfert de luminosité entre la main et le végétal avait eu lieu. Par contre, avec d'autres personnes, la feuille peut ne présenter aucune modification de luminosité ou dans certains cas extrêmes, perdre toute luminosité.

Chez les humains, la photographie *Kirlian* montre une couronne lumineuse **de quelques millimètres**, d'intensité, de couleur et d'épaisseur variables autour de la pulpe des doigts. Les photographies des mains de guérisseurs révèlent une diminution de luminosité après imposition des mains, et au contraire une augmentation de luminosité sur la région «imposée».

vis medicatrix maturae ou «force de vie naturelle»; on lui a aussi attribué les noms de **bioénergie**, d'**énergie cosmique**, de **force vitale**, d'**éther**, de **lumière**, d'**aura**....

Devant ce flot et ce flou terminologiques, on éprouve certaines difficultés à se repérer, et ce d'autant plus que le même mot «énergie» est souvent employé pour désigner aussi bien l'énergie calorique, nucléaire... que sexuelle.

Dans un premier temps, notre effort de clarification portera essentiellement sur l'utilisation de la notion d'énergie en acupuncture, tant parce que la paternité d'un système énergétique circulant à travers le corps revient incontestablement aux médecins chinois, que du fait des similitudes frappantes rencontrées entre ces deux méthodes – auriculo-puncture et acupuncture – qui utilisent toutes deux des aiguilles pour traiter une pathologie donnée par le repérage de points cutanés détectables par une différence de résistance électrique ou par une douleur provoquée.

En acupuncture, cette utilisation inconsidérée du terme énergie est attribuable à Soulié de Morand. Cet ancien diplomate conquis par la médecine chinoise l'introduisit en France et traduisit malencontreusement le terme chinois «QI», littéralement «souffle, vapeur», par énergie.

D'après les théories acupuncturales, l'élément initial est le «QI», émanation céleste qui anime le corps; le «QI» est tantôt le souffle cosmique, tantôt l'énergie vitale de l'individu, tantôt la manifestation, l'impulsion d'un viscère, tantôt l'air que l'on respire. Nous voyons également que là encore les choses ne sont pas définies simplement... mais continuons notre présentation de l'énergie en acupuncture:

Les deux formes principales de matérialisation de l'énergie cosmique nécessaire à la survie sont apportées par l'air et les substances alimentaires. Une troisième forme d'énergie, moins visible, mais tout aussi indispensable puisqu'elle représente une des trois propriétés fondamentales des systèmes vivants, est celle qui assure la reproduction par la transmission d'un «quantum d'énergie» des parents aux enfants à travers la fécondation. Les Chinois l'ont dénommée «énergie ancestrale».

Les ouvrages anciens décrivent ainsi l'existence de trois foyers producteurs d'énergie:

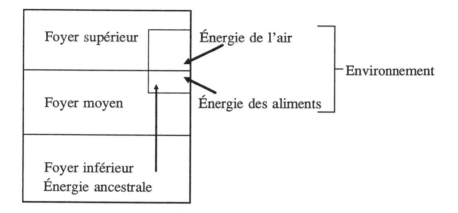

FIGURE 7
LES TROIS FOYERS

Le premier, «foyer supérieur», capte l'air et le transforme à travers le poumon.

Le deuxième, «foycr moyen», extrait et assimile l'énergie des aliments par le fonctionnement de l'estomac, du foie, de la vésicule biliaire, du pancréas et de la rate.

Le troisième, «foyer inférieur», comprend les reins, l'intestin, la vessie, les ovaires ou les testicules, et il est le siège de l'énergie ancestrale.

Le problème se complique quand on apprend que cette énergie qui arrive dans l'organisme par les poumons et l'estomac circule dans le corps non seulement par les voies traditionnelles de la digestion et de la respiration, mais aussi le long de certaines lignes sillonnant la peau suivant des trajets précis appelés méridiens. D'après la tradition chinoise, on en compterait douze principaux, qui correspondent à douze organes individualisés sur lesquels sont répartis pas moins de 361 points[1].

Cette énergie circule sans qu'il n'y ait jamais d'interruption, de la naissance jusqu'à la mort, toujours dans le même sens, selon une intensité variable dépendant du sexe, de la fatigue, des maladies, des multiples facteurs météorologiques, cosmiques, psychiques, héréditaires, etc. La pratique de l'acupuncture découle de ces postulats et consiste à modifier la répartition des énergies perturbées au moyen – entre autres – d'aiguilles qui tonifient les organes vides d'énergie ou qui dispersent l'énergie des organes en cas de trop-plein.

FIGURE 8
LE TAIJI OU PRINCIPE SUPRÊME
Le Yin est l'inertie (terre, substance, froid, interne, femelle...),
alors que le Yang est la force exprimée
(ciel, essence, chaud, externe, mâle...)

---

1. Dr Yves Requena, *Acupuncture et psychologie,* Éditions Maloine. «Le total est donc de 361 points. Mais si on tient compte de la symétrie des méridiens principaux, on obtient 670 points principaux.» Plus loin, il affirmera: «On imagine donc la complexité de la peau, pour un acupuncteur qui localise sur le tissu cutané 133 méridiens et un total de 1444!»

Le système thérapeutique chinois présente une autre particularité: il repose essentiellement, non sur des considérations
physiopathologiques, mais surtout sur une conception dualiste du
monde. Le **Taiji** (voir figure 8) illustre la loi dichotomique du
Yin et du Yang, fondement de l'équilibre énergétique du micro-
cosme et du macrocosme.

Bien que parfaitement opposés, Yin et Yang sont toujours as-
sociés dans toute manifestation en proportion variable; jamais l'un
ne peut exister sans l'autre: tel est le symbolisme schématisé dans
la figure du «principe suprême». Dans ce système philosophico-
médical, la maladie représente un vice dans cette harmonie, et le
traitement acupunctural consiste à rétablir l'équilibre entre les
forces du Yin et du Yang.

Ainsi, malgré les airs de famille unissant apparemment
auriculo-puncture et acupuncture, des différences notables les
séparent. Alors que les points chinois sont fixes, immuables et
spontanément détectables sur tout un chacun et à tout moment,
les points auriculaires «lyonnais» ne sont ni fixes, ni détectables
à tout moment; ils n'apparaissent qu'avec l'émergence d'un processus pathologique.

De plus, les points d'acupuncture se répartissent sur tout le
corps, à l'exclusion de la zone auriculaire, lieu de prédilection
des points de l'auriculo-puncture (voir figure 9). Outre d'autres
différences techniques, l'acupuncture procède d'une conception
générale de la vie qui découle de la pensée taoïste, alors que
l'auriculo-puncture ne se prétend que simple technique diagnostique et thérapeutique.

Les questions suscitées par les théories acupuncturales rame-
nées à son jeune concurrent occidental touchent également les
rapports éventuels qui existeraient entre le halo énergétique et les
théories énergétiques chinoises; entre le choix de tout le corps et
celui qui privilégie l'oreille; entre la différence des points à piquer; entre la différence des techniques puncturales...

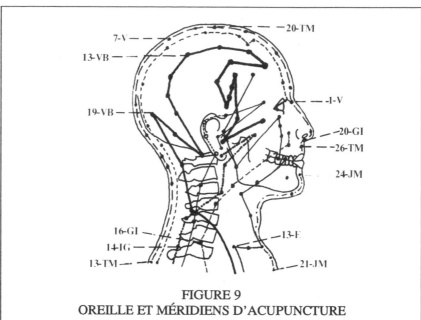

FIGURE 9
OREILLE ET MÉRIDIENS D'ACUPUNCTURE
«Les oreilles sont des endroits où confluent les méridiens.»

Telles sont les affirmations rapportées par le «Ling Shu», un des plus anciens traités chinois remontant aux environs de l'an 475 avant J.C.

Pourtant, sur cette classique représentation de la tête et du cou, le tracé des méridiens ne traverse la périphérie du pavillon auriculaire que par endroits.

Pourquoi et comment la tradition chinoise a-t-elle, au cours des siècles, abandonné cet enseignement?

Dans la suite de ce premier ouvrage, nous tenterons de réconcilier ces différentes approches en les englobant dans un système général, mais dans cette présentation, nous nous sommes simplement contenté de dresser le décor dans lequel flottent les trop nombreuses dénominations du mot «énergie», afin de situer le problème soulevé par la reconnaissance d'une «bulle» énergétique par les techniques de l'auriculo-médecine. La compréhension

de cette dimension nous permettra alors d'expliquer la signification exacte et précise du concept «énergie», qui, nous l'espérons,
mettra un terme à tant de flou terminologique et conceptuel, tout
en nous permettant de comprendre d'une façon synthétique le
rapport existant entre ces différentes techniques puncturales.

Pour l'instant, dans nos développements, nous continuerons
d'utiliser indifféremment les qualificatifs indéfinis de halo, de
bulle, d'entité, de présence, de corps énergétique, qui couvrent
toutefois une même notion: l'**Énergie**. Naturellement, nous au-
rions préféré changer radicalement de terminologie, mais du fait
que celle-ci se trouve être déjà largement usitée, il nous a semblé
préférable de ne pas la modifier, mais plutôt de la cerner le plus
précisément possible, de telle sorte qu'il ne soit plus possible de
la confondre, résolvant par là même le problème initialement
soulevé.

Chapitre 2
«L'HOMME-LICORNE»

Trois «histoires extraordinaires»:

1) La licorne énergétique

2) La main symbolique

3) «Combat énergétique» avec le «yogi»

À la lecture des précédents exposés, certains pourraient éprouver l'impression d'être catapultés dans un assemblage hétéroclite, sans idée directrice, qui ne serait alors que le reflet du trouble ressenti lors de ma rencontre avec les théories de l'auriculo-puncture. Pourtant, pour faciliter la poursuite de notre exposé et surtout pour préparer le terrain à nos futures assertions, nous nous sommes efforcé de présenter les données de base de cette nouvelle technique en dressant un tableau synthétique, original, personnel, inédit et quelque peu anticipé, de nos perceptions initiales qui furent beaucoup moins structurées, davantage éparses et irrégulières. D'ailleurs, le malaise éprouvé à l'abord de toutes ces approches, dites «alternatives», découle du sentiment de perdre toute référence rationnelle en sentant ses points de repères habituels glisser entre ses doigts, sans pour autant pouvoir se raccrocher à une structure substitutive suffisamment cohérente.

Suspendu entre ciel et terre, le trouble initialement ressenti ne fit que s'accentuer devant certains éléments théoriques trop facilement contestables, voire indéfendables. Ainsi, les théoriciens de l'auriculo-puncture justifient son efficacité par l'existence d'une riche innervation auriculaire qui serait reliée aux noyaux cérébraux centraux. Théorie que certains neurologues ne se privent pas de repousser allègrement[1]:

«Rappelons qu'un réflexe est un mécanisme nerveux tel qu'une stimulation d'une fibre sensitive déclenche obligatoirement et automatiquement une réponse motrice. Cette réponse motrice peut porter sur les muscles des membres, des vaisseaux, ou des viscères (cœur, tube digestif). Enfin pour qu'il y ait cette réponse, il faut qu'il existe une connexion précise spécifique entre les voies sensitives et les voies motrices.

»Qu'en est-il de l'oreille externe (le «pavillon» et le conduit auditif externe)?

»La sensibilité cutanée de la partie tout antérieure du pavillon, et de la face antérieure du conduit auditif externe est assurée par des fibres du nerf trijumeau (5e nerf crânien). La peau du reste du pavillon (la plus grande part) est innervée par des fibres sensitives qui vont se rendre à la partie haute de la moelle épinière (elles font partie des 2e et 3e nerfs cervicaux). Les faces supérieure, postérieure et inférieure du conduit auditif externe sont innervées par des fibres appartenant à trois nerfs crâniens: le nerf intermédiaire (branche sensitive du nerf facial), le nerf pneumogastrique et le nerf glossopharyngien. Les vaisseaux, comme partout dans le corps, reçoivent une innervation sympathique.

»C'est une innervation motrice, à l'inverse des autres nerfs cités plus haut, qui sont sensitifs. L'innervation de l'oreille revue et corrigée par les auriculothérapeutes n'a guère à voir avec cette description (résultant de dissections, stimulations expérimentales, constatations pathologiques, etc.). D'après ces spécialistes, les viscères, dont l'innervation est uniquement sympathique et parasympathique (le nerf parasympathique d'une grande par-

---

1. Dr Renaud, *Sciences et vie*, n° hors-série sur les médecines parallèles, 1985.

tie des viscères est justement le pneumogastrique) enverraient à l'oreille externe des fibres nerveuses (puisque, comme nous l'avons vu, l'oreille est innervée par le parasympathique et le sympathique...). Négligeons le détail selon lequel le sympathique est moteur, et le pneumogastrique à l'oreille n'est pas moteur, mais sensitif! De plus le "parasympathique" est la branche motrice du pneumogastrique, c'est-à-dire constitue la voie des ordres moteurs pour les viscères... Et pourtant ces fibres s'organiseraient sur l'oreille pour reconstituer l'anatomie du corps en position fœtale, tête en bas! Que le pneumogastrique (sensitif) n'innerve qu'une toute petite partie du conduit auditif externe ne gêne pas les auriculothérapeutes: ils ont décidé que toute la partie postérieure du pavillon était innervée par le sympathique, et toute la partie antérieure par le parasympathique: de toute façon ce sont les nerfs viscéraux, n'est-ce pas? Alors on s'y retrouve.»

Par ailleurs, l'existence des méridiens d'acupuncture n'est sous-tendue par aucune structure anatomique pouvant justifier leur réalité. Quant à l'homéopathie, l'équation d'Avogadro démontre mathématiquement qu'à partir d'une dilution de 9 CH, il n'existe plus aucune molécule active qui puisse expliquer une éventuelle action du remède homéopathique; or, comment une voiture pourrait-elle fonctionner sans essence? Comment l'acupuncture peut-elle fonder tout son système de traitement sur quelque chose n'existant pas matériellement? Comment l'auriculopuncture et tous les systèmes réflexothérapeutiques peuvent-ils justifier l'efficacité de leur traitement sur une innervation tout à fait insuffisante pour expliquer un mécanisme aussi complexe?

Et pourtant... en corollaire à ces assertions assénées sans explications satisfaisantes, on obtient des résultats tout aussi incontestables que spectaculaires – parfois instantanément – et qui dépassent même, dans certains domaines, l'efficacité des thérapeutiques conventionnelles!

Tout ceci permet d'entrevoir l'importance des mutations effectuées devant les changements de repères, de mentalité, de conceptions, et ceci après avoir été formé par une démarche essentiellement analytique, rythmée par les enseignements traditionnels d'anatomie, de biologie et de physiologie... car en auriculo-médecine, il ne s'agit plus de se référer au corps anatomique lui-même, mais à un «modèle analogique du corps», dans lequel tout se passe comme si...!

Il ne s'agit plus de palper, de percuter et de radiographier tel ou tel organe, mais d'utiliser un anneau-test contenant l'extrait d'organe à analyser, tout en percevant les modifications du pouls... En acupuncture, il ne s'agit plus de comprendre et d'analyser les perturbations physiologiques observées mais de philosopher sur la base conceptuelle du yin et du yang ou des cinq éléments! Quant à l'homéopathie, il ne s'agit plus de se référer aux données séméiologiques classiques basées sur la compréhension physiopathologique des troubles observés, mais de rechercher d'autres ensembles de symptômes basés sur la loi de similitude.

Dans ce contexte de malaise et de fascination, survinrent trois faits étonnants, sans rapport précis ni chronologique entre eux, si ce n'est d'avoir aiguisé ma curiosité, en vrillant à mon être l'impression diffuse de toucher là à quelque chose d'important, de mystérieux. Ces constatations ne firent qu'accroître mon questionnement ainsi que ma soif d'explications cohérentes et structurées, et ce d'autant plus que je me trouvais en face d'un assemblage de données dissonantes sans rapports entre elles, sans lien directeur et unitaire.

Ces trois expériences étonnantes suscitèrent des intuitions capitales qui, petit à petit, se mirent en place et s'ajustèrent en s'imbriquant parfaitement comme le feraient les pièces d'un puzzle. Aussi, les surnommai-je les trois «histoires extraordinaires», tant par leur contenu surprenant que par leurs répercussions inattendues, ainsi que par le tournant décisif qu'elles suscitèrent dans l'histoire de ma découverte. Elles me permirent également de comprendre que je devais m'écarter des structures conventionnelles, me soustraire aux repères antérieurement établis, afin de pouvoir pénétrer dans cette nouvelle dimension qui échappait à toute classification connue. Dans ce même mouvement d'ouverture, je devais garder tout mon sens critique et rester aux aguets, car je ne connaissais que trop les risques inhérents à pareille avancée. Je savais que ce chemin était parsemé d'embûches difficilement contrôlables, ce qui l'a fait exclure du champ d'investigation de la recherche scientifique.

Sur cette voie impraticable, le dérapage le plus dangereux reste assurément l'envolée insidieuse en direction de sphères éloignées de tout esprit logique, de toute analyse objectivable. À l'approche rationnelle se substitue sournoisement une «pensée magique», avec tout ce qu'elle comporte d'associations superficielles, de fausses et chimériques affirmations qui ne reposent sur aucune base solide, et qui finit par prendre ses désirs pour des réalités, ses pensées pour toutes-puissantes.

Malgré les risques inhérents à la conduite d'une telle entreprise, je savais être suffisamment armé pour garder l'objectivité et la rigueur analytique nécessaires. Avec le R.A.C., j'avais à ma disposition un appareil perfectionné et fiable qui, en tant que signal quantifiable d'un «système d'alarme» hypersophistiqué, représente un garde-fou inestimable. Encore fallait-il savoir interpréter ces précieuses indications et surtout savoir communiquer avec ce guide de valeur.

En faisant fonction de canne pour tâtonner dans l'obscurité, le R.A.C. m'autorisa à m'aventurer sans crainte d'être déstabilisé dans cette matrice de la «pensée magique». En favorisant la diminution de mes défenses, de mes résistances culturelles, la valeur objective du R.A.C. provoqua une brèche dans ma carapace d'*a priori:* je pouvais enfin écouter, et comme la chrysalide, sortir de mon cocon protecteur mais aveuglant.

Une fois ces premiers pas effectués, un autre garde-fou se mit de lui-même en place: ce furent les résultats cliniques obtenus. Praticien avant tout, je n'étais animé d'aucune intention de recherche et j'étais seulement confronté aux demandes des malades qui n'avaient qu'un seul objectif: guérir à tout prix et par n'importe quel moyen. Or, dans ce domaine, l'auriculo-puncture modifia de façon notable mon abord diagnostique et thérapeutique. Médecin généraliste, mon savoir-faire personnel se cantonnait pour une grande part dans le recueil des informations, et la démarche diagnostique et thérapeutique à adopter était alors parfaitement codifiée.

Par contre, en auriculo-puncture, l'engagement individuel du thérapeute est de loin prépondérant. Outre que l'habileté technique, l'intuition, la persévérance et la rigueur de l'auriculo-médecin constituent des paramètres importants à la plus ou moins grande réussite de l'acte thérapeutique punctural, celui-ci se doit d'adopter, parmi les nombreuses possibilités existantes, la technique la plus efficace qui lui permettra de repérer le point le plus propice à piquer en fonction de chaque malade, de chaque manifestation pathologique. Chaque consultation est totalement inédite et spécifique. Elle exige du thérapeute une adaptation permanente et une recherche sans cesse renouvelée de la meilleure approche diagnostique et thérapeutique. Et dans cette quête incessante, la possibilité de constater **instantanément** les résultats thérapeutiques obtenus constitue le meilleur garant possible; car il ne faut jamais perdre de vue qu'avec cette technique, on assiste très souvent à une disparition **immédiate** des manifestations douloureuses, et ceci à la fraction de seconde suivant l'implantation auriculaire de l'aiguille.

Aussi incompréhensibles, spectaculaires et efficaces que soient les résultats de l'auriculo-puncture sur les manifestations douloureuses – entre autres –, ceux-ci, par contre, ne contredisent en rien le savoir universitaire, lui-même plongé dans l'incompréhension face aux mécanismes de base des douleurs les plus simples, puisqu'à ce jour aucune théorie unifiée n'a été proposée pour expliquer le phénomène de la douleur et toutes les énigmes qui s'y rattachent. Ainsi, on ne sait pas pourquoi plus de la moitié des amputés souffrent encore d'un membre qui n'existe plus? Pourquoi la douleur, qui est souvent vive et parfaitement localisée, survient-elle plusieurs années après l'amputation? Pourquoi les opérations de remodelage du moignon ou de la section, au niveau de la moelle, des nerfs censés véhiculer les informations douloureuses se soldent-elles par un échec, même si le chirurgien sectionne le faisceau central au ras du thalamus[1]?

On connaît encore moins bien les mécanismes générateurs de la plupart des douleurs internes. Bien plus, on se heurte rapidement à des paradoxes: les viscères sont à l'origine de douleurs aiguës (coliques hépatiques, néphrétiques...) provoqués par des phéno-mèncs dc distension ou de spasmes; or, on peut piquer, inciser, brûler la paroi de ces viscères sans déclencher la moindre dou-leur..., et ce sans parler du cerveau, qui est lui-même indolore!

Face à cet ensemble de données et grâce à ce moyen d'inter-vention rapide sur la douleur, il devient possible d'avancer même les hypothèses les plus osées après avoir institué un examen d'acceptabilité extrêmement strict et facilement mesurable: toute découverte qui ne pourra démontrer sa capacité thérapeutique à faire disparaître instantanément des manifestations douloureuses ne pourra prétendre être intégrée à une quelconque hypothèse de travail. De sorte que toutes les élaborations théoriques – aussi incroyables soient-elles – rapportées dans la suite de cet ouvrage reposent sur des bases solides et expérimentalement attestées. En d'autres termes et d'une façon claire et précise, tout ce que nous avançons dans cet ouvrage peut être amplement et très facilement démontré!

Dès lors, confiant dans la fiabilité de la technique, je me permis non seulement d'être ouvertement à l'écoute des faits même les plus extravagants, mais encore d'élaborer des hypo-thèses pour le moins inattendues...!

1) LA LICORNE ÉNERGÉTIQUE

Alors que j'assistais à un congrès d'auriculo-médecine, le hasard fit que je m'assis à proximité du Dr Vigneron. Lors d'une pause, celui-ci exposa à l'un de ses amis l'expérience originale

---

1. Et pourtant certains auriculo-médecins ont réussi à faire disparaître ces «douleurs fantômes» par l'application d'un traitement punctural auriculaire.

qu'il avait imaginée pour inverser le sens de l'émanation énergétique. À cette fin, il prit un papier d'aluminium qu'il déposa entre les deux lamelles en plastique d'un anneau-test. Il dénomma ce dernier anneau-test «miroir», puisqu'à l'instar de celui-ci, il était également censé inverser l'image projetée, du moins dans le concept du modèle analogique. Au moyen de cette composition artisanale, il espérait provoquer une inversion du halo énergétique qui, dès lors, au lieu d'irradier vers le milieu extérieur, devait refluer en direction du corps, comme le lui avait suggéré l'information «miroir». Malgré la naïveté apparente du raisonnement, je fus étonné d'entendre que non seulement ce système fonctionnait, mais encore que le Dr Vigneron avait constaté en même temps que la disparition du halo énergétique la persistance d'une sorte de corne énergétique située à la hauteur de la racine des cheveux, au milieu du front (voir figure 10).

Alors que ces deux anciens auriculo-médecins continuaient à discourir tranquillement comme si ce qui venait d'être décrit allait de soi, j'eus quant à moi l'impression de recevoir, à ce moment précis, un choc qui me sortit de la léthargie dans laquelle m'avait plongé l'amoncellement informel des inventaires de l'auriculo-médecine.

Le sentiment profond de toucher là à quelque chose d'extraordinaire me saisit au point de tempérer réticences et colères accumulées. L'auriculo-médecine ne m'apparut plus seulement comme une méthode thérapeutique aussi efficace qu'incompréhensible, mais comme «une passerelle qui venait d'être jetée entre le corps et l'esprit»: tels furent mes mots de l'instant. Je ne fus pas frappé par la «Grâce», mais tout simplement interpellé par «l'apparition» de cette corne frontale qui métamorphosait la monotone figure humaine en un mythique «homme-licorne» (voir figure 10), alors que rien ne laissait entrevoir une telle transformation, puisqu'en tant qu'émanation du corps, le halo énergétique aurait dû logiquement s'inverser de manière uniforme: c'est-à-dire soit disparaître complètement, soit se changer en n'importe quoi, mais toujours de manière uniforme, et surtout de façon symétrique!

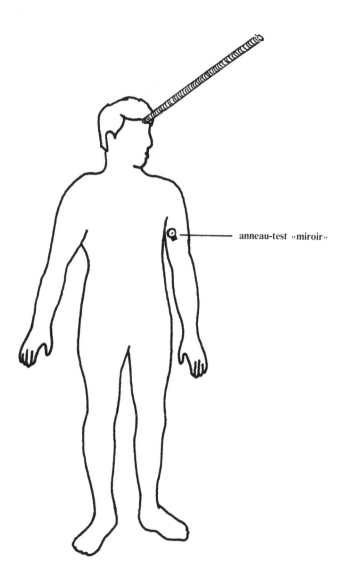

anneau-test «miroir»

FIGURE 10
L'HOMME-LICORNE

Comment assister[1] à une transformation allant contre toutes les lois de la nature sans être submergé par l'impression d'avoir assisté à une intervention «magique», et cela d'autant plus qu'elle se solde par l'émergence d'une image tellement chargée de sens symbolique et de pouvoir évocateur. Car aussitôt, l'image du juif en prière, avec son phylactère attaché à ce même endroit, et qui empruntait la même apparence d'une corne frontale, m'assaillit (voir figure 11). Bien sûr, cette apparition étrange et inattendue me renvoya également à la mythique licorne ou au «Moïse» de Michel-Ange. Pourtant, ce fut incontestablement l'image du juif aux phylactères qui me surprit le plus, par l'imprévisibilité d'une rencontre «religieuse» dans un séminaire médical que je pensais aux antipodes de telles préoccupations. Il fallut quelques phrases échangées académiquement par deux doctes confrères pour me propulser littéralement vers d'autres horizons inconnus.

Dès lors, la perplexité ne me quitta plus: que signifiait cette transformation insolite? Qu'était réellement cette apparente simple émanation aux mutations surprenantes et aux multiples évocations symboliques? Quelque chose s'était brutalement ouvert en moi. Aux aguets, je me savais désormais voguant sur des eaux inconnues dans lesquelles m'avaient subitement propulsé ces quelques phrases!

2) LA MAIN SYMBOLIQUE

Au cours de ce même séminaire, le Dr Nogier décrivit quelques observations qui laisseraient supposer l'existence de phénomènes de parasitage entre le médecin et son patient: parfois, certains auriculo-médecins se retrouvent en fin de consultation dans un état d'épuisement total, alors que d'autres retrouvent trop fréquemment chez leurs malades une pathologie précise dont ils souffrent eux-mêmes.

---

1. Bien entendu, il ne s'agit pas de visualisation, mais d'une reconstitution spatiale de la forme du halo invisible et impalpable qui, au moyen d'une technique spéciale d'auriculo-médecine, peut être délimitée précisément.

FIGURE 11
PORT DES PHYLACTÈRES

Les phylactères sont des boîtiers de cuir noir contenant des parchemins sur lesquels sont inscrits des passages bibliques. Ils sont attachés autour de la tête et du bras gauche par des lanières de cuir, conformément à la prescription biblique: «Tu les attacheras en signe sur ta main et ils seront une marque entre tes yeux.» (EX: XIII, 9, 18; DEUT: VI, 8 et XI, 18)

Le Dr Nogier expliqua les premières constatations par une possible «vampirisation» des ressources énergétiques du thérapeute par certains patients trop «gourmands», alors que la deuxième série d'observations laisserait entrevoir l'existence d'une sorte de «colonisation» des patients par l'énergie trop conquérante du médecin qui «annexerait» en quelque sorte l'oreille du patient.

Afin de résoudre ces difficultés, le Dr Nogier suggéra d'utiliser un anneau-test de sa composition qu'il dénomma «test-stabilisateur» parce qu'il entraînait une stabilisation des interférences énergétiques entre les deux protagonistes de la consultation. Par sa capacité à déconnecter les énergies en présence, le «test-stabilisateur» devait aboutir idéalement à une séparation radicale des bulles énergétiques qui, ainsi, ne mélangeraient plus leurs informations.

Différent des anneaux-tests habituels, celui-ci est composé ... d'une figure géométrique comprenant cinq éléments identiques convergeant vers un noyau central, le tout étant dessiné sur du plastique transparent! (voir figure 12)

FIGURE 12
DESSIN DU TEST-STABILISATEUR

Ma surprise fut totale! Et celle-ci fut d'autant plus grande que, poursuivant son exposé, le Dr Nogier tenta de justifier l'efficacité de cette étrange figure par une approximative ressemblance avec le schéma moléculaire d'une certaine substance chimique...

Or, un schéma moléculaire n'est-il pas une simple vue de l'esprit, un moyen académique de représenter sur une surface plane une configuration spatiale beaucoup plus complexe? Et même s'il en était ainsi, pourquoi ne pas avoir alors utilisé directement la molécule?

Là ne s'arrêtaient pas mes difficultés: comment supposer que ces ronds surmontés d'arêtes soient le fruit d'une recherche empirique qui aurait abouti à l'élaboration d'une telle figure, quand on sait que la probabilité pour obtenir un tel aspect est tout simplement infinie, et ceci sans parler des contrôles expérimentaux impossibles à effectuer? Ce schéma me semblait davantage extrait d'un livre de sciences occultes que découler d'une recherche expérimentale systématique qui aurait nécessité obligatoirement le tracé d'innombrables dessins... Mon esprit «classique» n'avait pas encore «digéré» que le corps puisse reconnaître des papiers colorés ainsi que des anneaux-tests contenant toutes sortes de substances organiques ou minérales, et voici qu'il me fallait maintenant admettre ces propositions aussi inexpliquées qu'incongrues! Il me devenait de plus en plus difficile d'avaler sans sourciller ce que l'on me présentait sans la moindre justification scientifique valable, ou tout au moins sans expliquer la démarche qui avait abouti à la mise au point de telles découvertes. Et pourtant, il me fallait bien admettre la relative efficacité de ce filtre stabilisateur qui suscite effectivement une plus ou moins grande déconnection des bulles en présence.

Repensant à l'utilisation en auriculo-médecine des couleurs, qui constituent des supports à la pensée symbolique, et surtout à la métamorphose symbolique du halo énergétique en «homme-licorne», je me demandai alors si l'efficacité de cette figure géométrique ne serait pas également due à un hypothétique message symbolique véhiculé par ce dessin. Hypothèse intéressante, quoiqu'il eût fallu pouvoir déchiffrer un éventuel énoncé symbolique à travers ce graphisme par trop chargé!

Le séminaire prit fin... Entre-temps, j'allais m'installer à Jérusalem, m'engageant alors dans la pratique exclusive de l'auriculo-médecine[1]. Médecin praticien, je recherchais avant tout l'efficacité thérapeutique, et dans ce domaine, cette méthode de thérapie me fournissait une technique particulièrement efficace. Pour autant, je n'oubliai pas les questions irrésolues que j'avais reléguées à l'arrière-plan de mes préoccupations, dans l'attente de quelques éléments explicatifs.

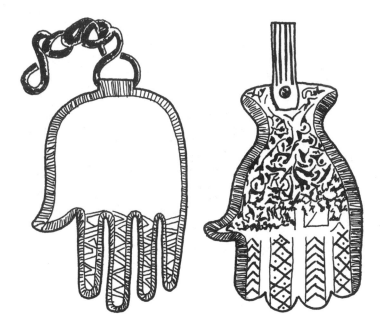

FIGURE 13
MAINS DE FATMA

---

1. Orientation due à un concours de circonstances, car je n'avais, au départ, nullement l'intention de délaisser la médecine générale.

Puis un jour, alors que je soignais une patiente qui portait en pendentif une main de Fatma (voir figure 13) (symbole sur lequel je m'étais toujours interrogé, par incompréhension à l'égard de son utilisation superstitieuse contre un supposé «mauvais œil»), je me demandai alors s'il n'était pas possible de réduire la figure compliquée du test-stabilisateur à une expression simplifiée plus conforme à l'ordre de la symbolique. Comme ces cinq doigts qui se rejoignent en une seule et unique paume unificatrice, le test-stabilisateur n'était-il pas également constitué de cinq traits principaux convergeant vers un point central unificateur?

La complexité de cette représentation me gênait décidément trop, car de cette profusion de ronds, de traits, de dispositions architecturales compliquées n'émanaient ni le naturel cher à mère nature ni la simplicité de la structure de la multitude des formes, tout comme, au travers d'un même schéma structurel simplifié, de l'atome au système planétaire, l'infiniment petit rejoint l'infiniment grand.

Dans le même ordre d'idées, n'était-il pas possible de supposer qu'en élaguant les cinq traits des cercles qui les surmontaient, on pourrait également obtenir le même effet déconnectant? Aussi redessinai-je le test-stabilisateur du Dr Nogier en le réduisant à sa plus simple expression, c'est-à-dire en cinq traits convergeant vers un même point central.

FIGURE 14
FIGURE SIMPLIFIÉE DU TEST-STABILISATEUR

Quelle ne fut pas ma surprise de constater, au moment de la vérification expérimentale, que l'effet déconnectant[1] se révélait encore plus efficace! Toutefois, cette tentative de dépouillement pouvait ne pas être nécessairement en rapport avec l'hypothèse symbolique du «cinq en un[2]». Une confirmation probante impliquait que toutes les formes de même représentation structurelle, que ce soit le dessin d'une fleur à cinq pétales, d'un soleil à cinq rayons, ou tout simplement d'une main de fatma, entraînent le même effet déstabilisateur. L'expérimentation vérifia largement cette contre-vérification. Une déconnection des bulles en présence s'établit à chaque essai, et ceci quelle que soit la figure symbolique représentée, confirmant par là même que le graphisme du test-stabilisateur du Dr Nogier n'est en fait qu'une expression symbolique masquée par des fioritures.

Cette reconnaissance incontestable du symbole par le halo énergétique, qui lui-même peut se transformer en expression symbolique, renforçait ainsi mon intuition première attestant qu'il était peut-être possible de trouver là un pont jeté entre matière et esprit!

3) «COMBAT ÉNERGÉTIQUE» AVEC UN «YOGI»

De passage à Lyon, à l'occasion d'une soirée chez des amis, la conversation s'engagea sur ces questions d'énergie, et à ce propos, ils me parlèrent d'un de leurs oncles qui désirait faire ma connaissance. Selon leurs dires, celui-ci pratiquait le yoga à un très haut niveau, et le récit de ses performances suscita en moi l'hypothèse qu'il serait peut-être possible d'analyser, grâce aux techniques de l'auriculo-médecine, certains états particuliers dans lesquels ces personnes parviennent à se plonger; car, par sa capacité à se concentrer sur un seul état mental, dissocié de tout autre état de conscience, un «yogi» me paraissait être théoriquement un sujet préférentiel en vue de l'analyse expérimentale d'un seul

---

1. Le recours à des techniques spéciales de l'auriculomédecine permet de quantifier la plus ou moins grande déconnexion énergétique obtenue.

2. Cinq éléments qui convergent vers une unité centralisatrice.

paramètre. Je leur proposai donc de joindre l'utile à l'agréable en organisant une soirée au cours de laquelle j'effectuerais une série d'expériences d'auriculo-médecine afin d'analyser les effets énergétiques de différents états de conscience, que ce soit l'état de «transparence», sorte d'hypotrophie du Moi, d'annulation de la conscience individuelle qui rend pour ainsi dire «transparent», ou au contraire l'état d'hypertrophie de la conscience du Moi.

En préparant cette soirée et en passant en revue les différents anneaux-tests à ma disposition («récepteur»/«émetteur»; énergie «noble» ou «toxique») pour mesurer des états qui ne manqueraient pas de se manifester, je me dis alors que si ces mesures s'avéraient concluantes, il serait peut-être également possible de contrôler expérimentalement un énoncé fondateur de toute démarche spirituelle, à savoir que l'annulation de soi, c'est-à-dire l'état de «transparence», favoriserait un état de réceptivité accrue. En effet, on pouvait légitimement supposer qu'en cas d'hypotrophie du Moi, il ne serait possible d'objectiver que des énergies «réceptrices» et «nobles» en tant que conséquence logique de cette attitude contrite, pleine de modestie et d'annulation de soi; alors qu'à l'inverse, l'état d'hypertrophie du Moi ne s'accompagnerait que d'une émanation d'énergie «toxique» et «émettrice», qui résulterait, en quelque sorte, d'une enflure «toxique» du Moi. L'idée de pouvoir vérifier expérimentalement une telle proposition dans son expression énergétique m'enthousiasmait, et cela d'autant plus qu'elle confirmerait alors mon intuition première: à savoir, qu'avec les méthodes de l'auriculo-médecine nous étions enfin en possession de moyens objectifs et fiables qui nous permettraient de nous aventurer, sans crainte, dans ce *no man's land* qui jusqu'à présent séparait corps et esprit, du moins d'un point de vue scientifique.

La rencontre fut donc organisée. Je fus présentée au «yogi»... puis nous nous préparâmes à effectuer l'analyse énergétique des différents états. L'état de «transparence» révéla effectivement une réponse positive du R.A.C. à l'approche des tests mesurant l'énergie «réceptrice» et «noble», confirmant par là même mon hypothèse d'une augmentation de réceptivité de l'énergie «noble». L'expérience se poursuivit conformément au schéma précédent et je me préparai à mesurer énergétiquement l'état d'hypotrophie du Moi, qui, comme je m'y attendais, ne détermina aucune émanation d'énergie «noble» ni aucune réceptivité énergétique. Fort de ces constatations éclatantes, je m'apprêtai sans l'ombre d'un doute à vérifier le dernier maillon du protocole expérimental, persuadé que j'allais détecter une forte émanation d'énergie «toxique» qui émanerait du passage à l'hypertrophie du Moi.

Or, à ma grande surprise, l'analyse ne mit en évidence aucune irradiation d'énergie «toxique»... Déçu et consterné, pensant à une erreur, j'insistai et recommençai à maintes reprises les mesures; anneau-test «énergie toxique» en main, je gesticulais dans tous les sens, m'acharnant sans succès. Cet échec coupait court à mon élan initial, à mon désir de réconciliation apparemment utopique. Si un concept aussi universellement répandu n'avait pu être vérifié expérimentalement alors que je possédais tous les moyens pour le mettre à jour, je devais forcément admettre que cet acharnement n'était que l'expression de mon désir! Mais, dès lors, comment comprendre l'histoire de la «licorne énergétique» et celle de «la main symbolique» qui avaient suscité en moi tant d'espérance?

Le doute m'assaillit. Tout ne s'était-il pas passé trop parfaitement au début de mes investigations? N'avais-je pas influencé le déroulement de l'expérience par mes idées préconçues? N'avais-je pas trouvé que ce que je désirais trouver?

Pourtant, quelque chose me chagrinait: comment expliquer cette absence **totale** d'émanation «toxique»? En effet, j'aurais dû au moins trouver une quelconque trace d'énergie «toxique» existante chez tout un chacun à l'état physiologique. Pourquoi n'avais-je absolument rien trouvé? Quelle erreur s'était glissée dans mon protocole d'examen? Je me rendis compte alors que j'avais oublié de me déconnecter au moyen du filtre stabilisateur! Soulagé momentanément, je corrigeai aussitôt cette défaillance, et je recommençai toutes les vérifications: en ce qui concerne l'état de transparence, les constatations antérieures demeurèrent identiques; par contre, lors du passage à l'état d'hypertrophie du Moi, un jaillissement d'énergie «toxique» éclata cette fois-ci! Je restais perplexe, ne comprenant rien à ce qui venait de se passer! Pourquoi l'énergie «toxique» ne s'était-elle pas manifestée spontanément? Pourquoi ne s'était-elle révélée seulement à la suite de ma déconnection? J'analysai l'unique solution plausible qui s'imposait!

En fait, je ne résolus ce problème que lorsque je fus en mesure de donner son plein sens à l'état d'hypertrophie du moi. Celui-ci ne correspond-il pas au déploiement d'une hyperagressivité destructrice pour laquelle la présence de «l'autre» représente un obstacle nécessairement gênant à l'expansion mégalomaniaque d'un ego démesuré qui ne peut tolérer d'entraves? Dans cette perspective, cet obstacle à l'expression paranoïde du moi ne pouvait se solder que par une volonté de destruction de la partie adverse.

Si l'énergie «toxique» ne s'était pas manifestée spontanément, c'est que quelque chose l'avait empêchée de s'exprimer... et ce ne pouvait être que la présence de mon halo énergétique qui n'avait pas été déconnecté. Or, le comportement insoupçonné de ma «bulle» énergétique ne pouvait s'expliquer **que** par une réaction de défense de celle-ci à l'encontre d'une énergie «toxique» qui voulait lui nuire! Je devais admettre que mon «radar» avait perçu l'agression en déclenchant aussitôt une riposte défensive visant à contenir l'attaque de cette énergie agressive anéantissante que je gênais dans son épanchement morbide! En effet, le contact direct que j'entretenais avec l'énergie «toxique» représentait un obstacle immédiat à son déversement et, en quelque sorte, un «bras-de-fer» s'était déroulé entre nous: ou bien ma «bulle» énergétique, qui se trouvait en première ligne, se faisait envahir par cette énergie «toxique» expansionniste et destructrice, ou bien elle la maintenait à bout de bras pour l'empêcher de s'exprimer.

En me déconnectant et en me mettant ainsi à l'abri, j'avais placé ma bulle en dehors de toute atteinte, et dès lors, l'énergie toxique du «yogi» avait pu se déverser sans obstacles.

Au lieu de résoudre le problème, cette déduction souleva une autre énigme de taille, car je devais en effet admettre qu'une sorte de combat avait eu lieu, **sans que j'en eus la moindre conscience**... Mon système «radar» avait perçu une mauvaise énergie, l'avait analysée, reconnue comme suffisamment dangereuse pour devoir la maîtriser en l'empêchant de m'atteindre et cela en dehors de toute intervention consciente de ma part.

Que se passe-t-il donc réellement à nos côtés? Sommes-nous vraiment ce que nous pensons être? Nos perceptions sensorielles sont-elles une aide ou un aveuglement? Je devais reconnaître qu'une dimension nouvelle se révélait à moi, une dimension inconnue vécue en permanence et en toute **inconscience**... en totale ignorance de l'aide apportée, du rôle préventif et même défensif qu'elle avait!

Chapitre 3
LA MAIN RAYONNANTE

1) «Le meilleur des médecins ira en enfer!»

2) Les rayons du prophète Habacouc

1) «LE MEILLEUR DES MÉDECINS IRA EN ENFER!»

Ces trois «histoires extraordinaires» eurent le mérite de me sensibiliser à cette dimension inconnue. Elles me renvoyèrent à l'imagerie religieuse dont l'apparition soudaine sur la scène médicale me surprit. Pourtant, Dieu sait si j'avais essayé de relier un tant soit peu mes études universitaires à mes orientations «religieuses».

Déjà mon intérêt pour les textes traditionnels de la pensée juive m'avait poussé à choisir un sujet de thèse en rapport avec mes préoccupations unitaires: «Judaïsme et éthique médicale. Contribution à l'étude de la relation médecin-malade». Dans celle-ci, je tentai, au travers de la conscience juive, de cerner les inévitables questions philosophico-religieuses soulevées par l'exercice médical. J'avais dû admettre que ce débat entre judaïsme et médecine ne pouvait aller plus loin, du fait que ces deux approches semblaient apparemment inconciliables. Le traité talmudique Berachot (82a) n'énonçait-il pas sans ambages que «le meilleur des médecins ira en enfer»! Les Rabbis ne pouvaient exprimer de meilleure façon leur position agressive et méprisante vis-à-vis des médecins. Ceux-ci ne semblaient nullement prendre en considération l'imagerie populaire du médecin voué à la lutte contre la maladie et, apparemment, totalement opportunistes, ils se contentèrent de prendre certaines précautions, du type: «un disciple des sages ne doit pas résider dans une ville dépourvue de médecin» (traité Sanhédrin, 17b) ou encore: «il faut respecter les médecins avant d'en avoir besoin» (traité Pessahim, 113a). Entendez par là que les Rabbis ne leur vouaient qu'un respect obligé..!

Il fallut attendre plusieurs siècles plus tard pour qu'un illustre Rabbi, le Maharal de Prague[1] tenta, tant bien que mal, de réduire l'impact d'un verdict aussi désagréable qu'injuste. D'après lui, le texte ne devait pas être, bien entendu, pris au sens littéral, mais plutôt comme une direction inéluctable rencontrée par le médecin dans l'exercice de sa profession. Pour le haut Rabbi Loëw, médecine et religion tendent nécessairement vers des directions opposées, et ce sont précisément ces divergences fondamentales qui vouent le médecin à la Géhenne, comprise en tant que symbole de la vision purement matérialiste du monde... Ainsi s'exprime-t-il[2].

«Même le meilleur des médecins est voué à la Géhenne, car toutes ses occupations sont en rapport avec le corps organique de l'homme... Aussi, la Géhenne, équivalant au néant, convient-elle au médecin qui reste trop lié au seul aspect matériel du corps physique voué au néant après la mort... De ce fait, le médecin ne peut échapper à la Géhenne, car il ne parvient pas à la perception de l'homme dans sa globalité harmonieuse...»

Pour expliciter l'antinomie de la juxtaposition des termes médecin/Géhenne, le Maharal analysa particulièrement la relation médecin-malade et conclut qu'elle constituait, du moins à son avis, le type du rapport à l'objet qui, par voie de conséquence, annule la plénitude (CHLèMout) de la réalité humaine

---

1. Le Maharal de Prague (1512-1609) fut un éminent talmudiste, kabbaliste et penseur; chef spirituel d'une académie talmudique à Prague, la légende lui attribue la création du fabuleux Golem.

2. «Hiddouché Aggadot», nouveaux commentaires sur les parties allégoriques du Talmud.

plus complexe et diversifiée. Cette prise de position est en effet conforme à sa philosophie, qui se structure autour d'une approche tripartite de l'être humain qui, d'après lui, se composerait de trois éléments indissociables:

    1) Le GouF: le corps organique, enveloppe matérielle de notre être.

    2) Le NéPHéCH: la force vitale.

    3) Le SéKHéL: l'intellect, lié à la raison.

Or, le propre du médecin étant de s'occuper du seul aspect corporel de l'être humain, cette attitude aboutit, par voie de conséquence, à considérer le malade comme un «être-objet», dira J. Clavreul[1].

En effet, aussi compatissant que soit le médecin, le rôle fondamental de l'acte médical réside dans le diagnostic et le traitement de la maladie, dans la lutte contre l'agent causal, ce qui ramène le médecin à un technicien du corps. Cette attitude lui est imposée par l'impératif de la démarche expérimentale qui réduit sa rencontre avec le malade à l'inventaire des performances cliniques et paracliniques. Le malade pourrait aussi bien être appréhendé comme un ensemble élaboré d'organes perturbés, dans un rôle tout à fait passif.

Le malade devient objet d'étude qu'on aborde au microscope, au scalpel.

Dès lors, du fait de l'impossibilité d'échapper à ce type de relation à l'objet propre à la démarche objectivante du savoir médical, toute relation qui privilégie le seul côté matériel de l'homme au détriment de sa globalité, de sa «TSouRa», est parcellaire, partielle et constitue un phénomène de «néantisation» qui mène à la Géhenne.

---

1. J. Clavreul, *L'ordre médical,* Éditions du Seuil, 1978.

«Le savoir médical, affirme J. Clavreul, est un savoir sur le malade, non sur l'homme, qui n'intéresse le médecin qu'en tant que terrain sur lequel évolue la maladie.»

En d'autres termes, pour le Maharal, la relation médecin-malade constitue le type même du rapport à l'objet voué nécessairement à une dégénérescence inéluctable conduisant au néant: précisé en termes religieux par la notion de géhenne «néantisante».

Ainsi, la pensée maharalienne établit une distinction dichotomique entre matière et esprit qui ne peuvent être qu'irrémédiablement opposés; et dans cette optique, on ne voit pas comment «même le meilleur des médecins» parviendrait à se dégager de cette direction infernale, et semble-t-il incontournable!

Certes, l'approche psychologique qui recentre l'individu en position de sujet et non plus uniquement en être-objet, constitue un progrès indéniable. Toutefois, dans sa tentative scientifique de réduire la psyché à un déterminisme de lois, mais cette fois-ci inconscientes, elle ne fait que déplacer le problème vers des perspectives, certes, plus désenclavées.

Face à ces positions figées et inconciliables, le débat, à peine amorcé, déboucha sur un constat d'échec que rien n'était venu remettre en question, si ce n'est ces quelques «histoires extraordinaires».

Les contours de la passerelle entrevue au cours de ce séminaire se précisaient peu à peu, rejetant progressivement au loin la peur de ne percevoir qu'un chimérique mirage, reflet de quelques rêveries éveillées. De jour en jour, elle apparaissait comme une voie possible à explorer.

2) LES RAYONS D'HABACOUC

Empruntant la descente de Jérusalem en direction du littoral, je me réveillai subitement dans une ambulance pour apprendre que ma voiture venait de s'écraser, sans cause apparente et après une série de tonneaux, sur les flancs des monticules bordant cette dangereuse route longée de précipices, et vers lesquels, inévitablement, aurait dû m'entraîner la force centrifuge...! Ne comprenant pas – et n'ayant toujours pas compris – ce qui s'était passé, je me retrouvai hors de ma voiture neuve réduite en miettes, étonné de constater que je n'avais que quelques égratignures aux mains...!

Quelques jours plus tard, examinant l'état des cicatrisations, un texte talmudique de circonstance traitant de l'importance à accorder aux blessures survenues accidentellement aux doigts de la main me revint en mémoire. Je me rappelai vaguement d'un obscur passage lu quelque temps auparavant et qui avait retenu mon attention du fait de l'étrangeté de la controverse engagée: dans ce texte, le premier Rabbi enseigne que des blessures saignantes survenues aux doigts de la main équivalent à un sacrifice offert au temple de Jérusalem, alors que le second Rabbi ne leur confère ce sens que s'il existe antérieurement une plaie au pouce.

Étonné par l'énoncé de cette distinction inattendue entre les doigts de la main, et me sentant quelque peu concerné par l'objet de la discussion, je m'arrêtai sur ce texte afin de comprendre le sens de cette polémique sibylline. Puisque les deux Rabbis s'accordaient à penser que sacrifices et blessures des doigts de la main s'équivalaient, ceci revenait à dire que pour ces sages du Talmud, l'institution sacrificielle est sous-tendue nécessairement par un sens symbolique, qui seul peut les autoriser à concevoir l'existence d'équivalents sacrificiels. Dès lors, la controverse talmudique impliquait nécessairement que le deuxième Rabbi attribuait au pouce un rôle précis lui conférant une valeur de condition *sine qua non,* et ce contrairement au premier Rabbi, pour qui chaque doigt possédait la même valeur symbolique.

Certains pourraient s'étonner de cette prise de conscience de l'existence d'une symbolique des doigts, qui peut paraître naïve et élémentaire pour quiconque s'intéresse un tant soit peu au symbolisme. Toutefois, bien qu'interpellé par cette approche, la pléthore de littérature portant sur ce sujet a tendance à émousser mes capacités imaginatives plutôt qu'à les stimuler. C'est pour-

quoi cette discussion trouvée au détour d'un texte législatif (ha-
lakhique) éveilla ma faculté d'étonnement et mon désir d'en
saisir les implications.

Bien qu'exprimé en termes religieux, ce passage talmudique
revient en fait à accorder une valeur symbolique aux doigts et en
particulier au pouce. Or, les enseignements du Dr Nogier font
également état d'une répartition du corps en différentes zones
dont l'aspect symbolique ne manque pas aussitôt de surprendre.
En effet, celui-ci avait découvert dans l'organisme humain l'existence de sept zones distinctes qui entrent en résonance avec une
fréquence qui leur est propre (voir figure 15). Celles-ci se reflè-
tent par ailleurs dans l'oreille et répondent aux mêmes fréquences:

- La zone «A» correspond à la fréquence de   2,5   Hz
- La zone «B» correspond à la fréquence de   5   Hz
- La zone «C» correspond à la fréquence de   10   Hz
- La zone «D» correspond à la fréquence de   20   Hz
- La zone «E» correspond à la fréquence de   40   Hz
- La zone «F» correspond à la fréquence de   80   Hz
- La zone «G» correspond à la fréquence de   160   Hz

Il est étonnant non seulement de constater que les fréquences
suivent une progression arithmétique (2,5; 5; 10; 20; 40...), mais
aussi que plus elles sont élevées, plus elles correspondraient[1] à
des systèmes biologiques élaborés: «la fréquence "A" correspondrait à la cellule inorganisée; "B" à un amas cellulaire pourvu
d'un système nutritif; "C" marque l'apparition du mouvement;
"D" celle de la symétrie; tandis que les fréquences "E", "F", "G"
caractérisent les organisations nerveuses de plus en plus évo-
luées.» Le parallélisme observé entre l'accroissement de l'intensité fréquentielle et l'évolution des structures biologiques ne
peut laisser indifférent.

---

1. Dr Nogier, *Un homme dans l'oreille*, Éditions Maisonneuve.

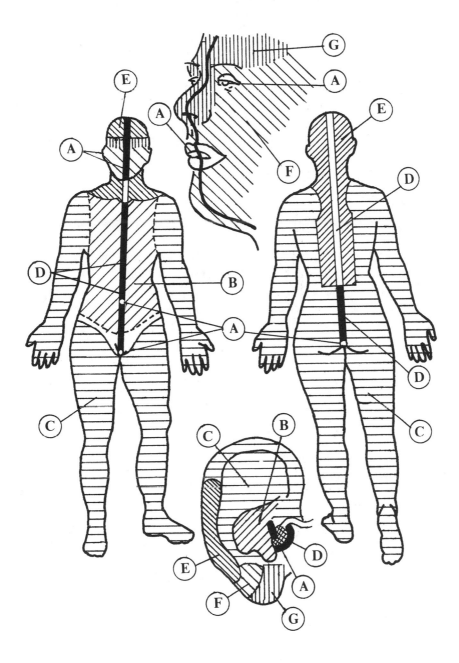

FIGURE 15
LES SEPT ZONES FRÉQUENTIELLES DU CORPS ET DE L'OREILLE
(D'après le livre du Dr Nogier, *Un homme dans l'oreille*,
Éditions Maisonneuve.)

De plus, d'une façon toute empirique, le Dr Nogier se rendit compte que certaines couleurs monochromatiques se comportent, tant au niveau de l'oreille qu'à celui du reste du corps, comme les diverses fréquences que nous venons de mentionner.

Au moyen de filtres Wratten fabriqués par Kodak, il détermina sept couleurs correspondant aux sept plages fréquentielles. Chaque filtre coloré est placé entre les deux lamelles transparentes de l'anneau-test, qui est noté par le numéro du filtre Kodak.

La plage fréquentielle «A» correspond à l'orange 22.
La plage fréquentielle «B» correspond au rouge vif 25.
La plage fréquentielle «C» correspond au jaune 21.
La plage fréquentielle «D» correspond au rouge tango 23 A.
La plage fréquentielle «E» correspond au bleu pétrole 44.
La plage fréquentielle «F» correspond au bleu foncé 48.
La plage fréquentielle «G» correspond au violet magenta 30.

Je me trouvai ainsi confronté à deux types d'enseignements radicalement différents et pourtant comparables tant par la distinction de zones corporelles hiérarchisées que par leurs connotations symboliques. Ainsi, si pour les Rabbis chaque doigt possédait une valeur symbolique déterminée, pour le Dr Nogier chaque partie du corps se caractérisait par une couleur déterminée. Les couleurs étant également considérées universellement comme des supports de la pensée symbolique, je me suis alors demandé s'il n'était pas possible de trouver par les techniques de l'auriculo-médecine une ou plusieurs correspondances entre doigts et couleurs... tous deux symboles!

L'hypothèse me parut séduisante et je m'empressai de la vérifier expérimentalement. Anneaux-tests colorés en batterie, je les passai systématiquement au-dessus des doigts de tierces personnes à la recherche de modifications du R.A.C., et l'expérimentation révéla qu'il existe effectivement un rapport déterminé entre un doigt et une couleur donnée (voir figure 16).

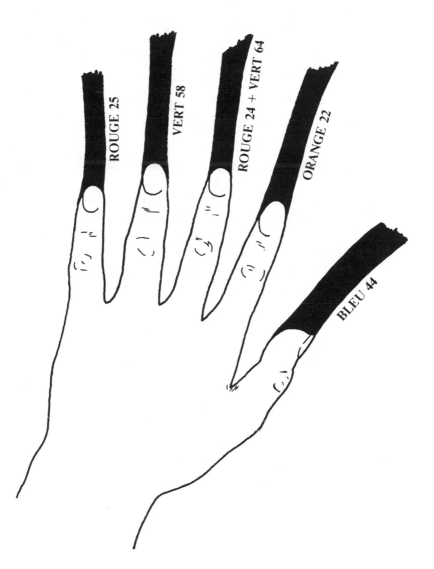

FIGURE 16
À CHAQUE DOIGT CORRESPOND UNE COULEUR DÉTERMINÉE

Au pouce correspond le bleu 44.

À l'index correspond l'orange 22.

Au majeur correspond la superposition des couleurs rouge 24 et vert 64.

À l'annulaire correspond le vert 58.

À l'auriculaire correspond le rouge 25.

Tout se passe comme si de chaque doigt nimbe un rayon spécifique qui réagit à une couleur donnée.

Cette découverte d'exécution apparemment simple pose en fait un problème complexe: car pour pouvoir établir la subdivision du corps humain en sept zones, le Dr Nogier avait nécessairement passé tous les filtres colorés existants sur **toutes** les parties du corps, y compris les appendices digitaux[1]... Or, il n'est nulle part fait mention d'une telle distinction. Cette divergence importante et inexpliquée ne peut naturellement être mise sur le compte d'une quelconque négligence ou erreur de la part de l'innovateur et du ponte de l'auriculo-médecine, qui de plus explora à de nombreuses reprises le corps humain au moyen de toutes les stimulations possibles (chaleur; froid; courant électromagnétique... sans parler des couleurs et des fréquences hertziennes!) sans jamais révéler l'existence d'un quelconque rayonnement! Comment dès lors expliquer ces divergences notables, d'autant que ma compétence ne prétend aucunement rivaliser avec celle du Dr Nogier? Qui plus est, j'avais opéré avec les anneaux-tests mis au point par celui-ci, et ce sans employer d'artifice de détection! Supposer une erreur de ma part aurait été la solution la plus simple, cependant j'avais à de multiples reprises vérifié et fait contrôler ces résultats surprenants par une consœur[2]

---

1. Comme le montre la figure 15, qui révèle comment chaque partie du corps a été minutieusement explorée.

2. Celle-là même, le Docteur Micheline Naouri à qui j'avais souri quelque peu ironiquement... (voir *Introduction*). Et à cette occasion, je tiens non seulement à m'excuser, mais encore à la remercier très sincèrement pour toute l'aide fournie. Sans elle, ma progression dans les dédales de l'auriculo-médecine aurait été, plus d'une fois, ralentie.

des plus compétentes. Ces interrogations, qui dans l'instant ne trouvèrent pas de réponses satisfaisantes, eurent néanmoins le mérite d'exciter davantage mon besoin de compréhension en me poussant à chercher dans toutes les directions possibles.

L'hypothèse suscitée par ce texte talmudique avait aiguisé mon intérêt et ma curiosité à l'égard des textes juifs traitant de ce sujet. Les Éditions Verdier venaient de publier la traduction d'un livre dont j'ignorais même l'existence! Le *Bahir* ou *Livre de la clarté* est l'un des tous premiers ouvrages de la littérature kabbalistique (datant environ du XIIe siècle).

Ces types d'ouvrages étant particulièrement hermétiques et incompréhensibles[1], et étant moi-même essentiellement attiré par le Talmud et le courant rationaliste juif, je n'aurais jamais envisagé une pareille orientation de recherche si cette publication en langue française n'avait présenté un index facilement consultable. Le mot «main» me renvoya à ce texte dont une partie retint immédiatement mon attention.

«Dis-nous ce que signifie le verset du prophète Habacouc (III, 4):

"Il a des rayons qui sortent de sa main".»

Que signifie le pluriel employé dans "rayons"?

Et pourquoi est-il dit "rayons" d'abord et ensuite "sa main"? Il aurait fallu dire *ses* mains»...

Leur maître leur répondit:

---

1 Il n'est pour s'en convaincre que de lire *Les origines de la Kabbale,* aux Éditions Aubier-Montaigne, dans lequel Guerschom Scholem, la référence universitaire par excellence dans ce domaine ne ménage pas ses critiques à l'égard de cet ouvrage: «Le livre du Bahir, dont les quelques feuilles sont si révélatrices, quant au mystère de l'origine de la Kabbale, se présente sous la forme d'un midrash, c'est-à-dire d'un recueil de sentences ou de très brefs exposés sur des versets de la Bible. Tout cela est développé d'une manière extrêmement lâche, sans aucune apparence de construction littéraire [...] tout se présente en vrac [...], on peut réellement dire que nous sommes en présence d'un "pot-pourri" de nombreux motifs [...] L'exposé n'est pour ainsi dire jamais mené à son terme. La plupart du temps il est interrompu par des morceaux hétéroclites, puis reprend avec un mépris total de suite logique.»

– Il y a cinq rayons, correspondant aux cinq doigts
de la main droite de l'homme.» (*Bahir,* 188[1])

J'étais abasourdi par ce texte millénaire du prophète Habacouc qui mentionnait en quelques mots l'existence d'un rayonnement des doigts de la main que je venais tout juste de découvrir
par des techniques mises au point à la fin du XXe siècle!

Là ne s'arrêtèrent pas mes interrogations. Comment l'auteur
du *Bahir* connaissait-il la latéralité de la main incriminée? Dans
sa brève prophétie, Habacouc ne faisait allusion qu'à une seule
main, alors pourquoi cette précision («droite») inexpliquée du
Bahir? De plus, ces allusions à l'unilatéralité d'un rayonnement
restent tout à fait incompréhensibles. Pourquoi existerait-il une
différence entre main droite et main gauche? Le halo énergétique
dont proviennent assurément ces rayons invisibles, impalpables
et détectés comme la «bulle» énergétique par les mêmes techniques, n'entoure-t-il pas tout le corps dans son ensemble? Comment ne pourrait-il se trouver que d'un seul côté? L'émanation
énergétique ne provient-elle pas de membres symétriques? Pourquoi dès lors le *Bahir* établit-il une distinction – apparemment

---

1. Texte intégral du *Bahir* 188: «Dis nous ce que signifie ce verset du prophète
Habacouc (III, 4): "Il a des rayons qui sortent de sa main" Pourquoi a-t-il mentionné
d'abord la présence de rayons et seulement ensuite celle de la "main"? (le *Bahir*
s'étonne de la succession anormale des termes qui auraient dû être inversés: de sa
main sortent des rayons). Et que signifie cette mention du mot «main» au singulier.
«Il aurait fallu dire de «ses mains»? Ceci ne pose aucune difficulté. Ainsi s'exprime
également un autre verset biblique (Exode 32, 19): «La colère de Moïse s'enflamma
et il jeta les tables de la loi de sa main». Il est écrit «de sa main» au singulier. On
note également cette singularité au verset de l'Exode 17, 12: «[...] et ses mains
furent fidélité jusqu'au coucher du soleil». Il n'est pas dit «fidélités» au pluriel, mais
«fidélité». Ils lui dirent: notre maître, nous avons fait ressortir les difficultés inhérentes à ce verset, afin que tu nous les expliques, et toi, tu ne fais qu'aggraver nos
difficultés initiales! Avant de soulever d'autres difficultés, tu devrais te souvenir
que tu nous as toi-même appris, qu'il faut répondre en premier à la première
question avant de répondre à la dernière. Il te faut donc nous expliquer que signifie:
«il a des rayons qui sortent de sa main». Par le temple! Essayer de comprendre le
sens de ma réponse! Quand il constata leurs efforts inutiles, il leur donna un indice
supplémentaire: – N'est-ce pas que les eaux furent d'abord là, et qu'ensuite, le feu
en est sorti! – C'est l'opinion communément admise. – Si c'est ainsi, c'est donc que
les eaux contiennent en elles le feu! – Maître, et que signifie le mot «rayons»? – Il
leur répondit: Les cinq rayons correspondent aux cinq doigts de la main droite.»

arbitraire – entre main droite et main gauche? Face à cette diffé-
rentiation insoupçonnée, je réalisai alors qu'au cours de mes
expérimentations, tenant la main gauche des sujets afin de percevoir le R.A.C., je n'avais en fait pratiqué les recherches que sur
la seule main droite, ne soupçonnant même pas qu'il puisse exister une différence entre membres symétriques. Le texte du *Bahir*
avait au moins réussi à insinuer le doute dans mon esprit! Je
repris aussitôt ma batterie d'anneaux-tests colorés afin d'objectiver une éventuelle émanation à gauche: le passage des filtres
déterminés auparavant ne déclencha aucune modification du
R.A.C. Le rayonnement n'existe effectivement qu'à droite...!
Pressentant des conclusions d'importance, je réfrénai mon exal-
tation pour vérifier auparavant un dernier élément qu'il me fallait
absolument exclure avant de me lancer dans de quelconques
constructions théoriques. En effet, il existait peut-être une autre
solution qui consistait à supposer que ce rayonnement était régi
par les lois de la dominance cérébrale: main droite chez le droi-
tier, main gauche chez le gaucher. Je me mis donc à la recherche
de véritables gauchers et je pratiquai au-dessus de leur main
gauche les précédentes expériences. Aucune émanation n'apparut
à gauche, quelle que soit la latéralité du sujet; chez toutes les
personnes ayant subi le test, les filtres colorés ne déclenchèrent
de modifications du R.A.C. qu'à droite.

J'avais fait le tour de la question; le doute n'était plus permis
et il me fallait tirer les conclusions qui s'imposaient, conformément aux enseignements du *Bahir*. Il existait donc des rayons qui
ne sortent que des doigts de la main droite...! Mais comment
concevoir leur présence sur la seule main droite? Le halo énergétique ne provient-il pas d'une émanation énergétique de membres
symétriques? Comment comprendre cette constatation expérimentale qui établit une distinction entre main droite et main
gauche? Je n'avais aucune explication à proposer, mais cette
anomalie me fit nettement comprendre qu'il ne pouvait plus être
question de décrire la «bulle» énergétique comme résultant d'une
simple émanation en provenance du corps humain, car il existe une déconnection totale entre les lois des structures neuro-
anatomiques régissant quasi symétriquement les hémicorps droit

et gauche et les lois du halo énergétique qui établissent une distinction formelle entre droite et gauche. Le corps physique et le corps énergétique n'évoluant pas parallèlement comme le feraient un émanant et un émané, l'emploi du terme «émanation» devient une véritable erreur. Dès lors, les corps physique et énergétique doivent être considérés comme deux entités **indépendantes** régies par des lois différentes. Dégagé de l'ombre dominatrice du grand frère (le corps physique) qui l'avait jusquelà totalement éclipsé et satellisé, le corps énergétique s'individualisait à l'instar de cette superposition trompeuse, à la faveur de la constatation d'une faille entre ces deux données.

Dans ce contexte, la question initiale du *Bahir* concernant l'ordre adopté par le verset d'Habacouc entre «main» et «rayons» prend tout son sens. En effet, dire que «des rayons sortent de sa main» ou que «de sa main sortent des rayons» revient apparemment strictement au même; alors pourquoi cette discussion byzantine? En fait, pour le *Bahir* il s'agit là d'une précision tout à fait fondamentale. Il ne peut être question de parler d'abord de «sa main», ensuite de «rayons», puisque cela reviendrait en fait à affirmer l'antériorité de la main sur les rayons. Or, à la suite du prophète, le *Bahir* pense tout à fait le contraire: pour eux, ce sont les rayons qui sont initiaux. Ainsi, il est intéressant de constater que dans le même passage, le *Bahir* affirme l'existence d'un rayonnement nimbant de la seule main droite, tout en contestant la notion d'émanation corporelle de ces mêmes rayons.

Bien entendu, il ne peut être question de souscrire inconditionnellement à ces affirmations qui restent à démontrer, mais qui néanmoins se retrouvent dans les enseignements des acupuncteurs chinois:

> «Au ciel, l'énergie n'est qu'une substance abstraite, tandis que sur terre, elle se transforme en une substance physique concrète.
>
> »Dans l'immensité de l'espace, il existe une énergie essentielle primitive qui donne naissance à tous les éléments et s'y intègre.»

Dans cette recherche où nous avançons pas à pas, en ne nous basant que sur des constatations expérimentales, nous ne pouvons que citer au passage ces «croyances» théologiques, ainsi que ces concordances d'opinions. Toutefois, à notre niveau, ces remarques cohérentes du *Bahir* me permirent de mesurer l'importance de chaque mot, et plus tard de m'apercevoir surtout que ce texte tellement obscur contient en fait une indication majeure «mais exprimée en langage religieux et sibyllin» que nous démontrerons être la clé fondamentale de la compréhension énergétique.

Dès lors, je voulus connaître avec précision la teneur du texte talmudique qui avait été le point de départ de cette fructueuse recherche. Mais pendant plus d'une année après la rédaction de ce texte, je tentai désespérément de retrouver la référence exacte de ce passage talmudique, au point de me demander si je n'avais pas simplement rêvé de ce texte introuvable. J'avais bien entendu consulté plusieurs talmudistes, mais sans aucun succès. Jusqu'au jour où j'eus à soigner un mal-voyant vivant à Jérusalem. Sa modeste apparence tranchait avec une érudition impressionnante. Par acquit de conscience et par curiosité, je lui soumis mon problème. Il m'affirma connaître ce texte, dont il me communiquerait, après vérification, la référence exacte. Le lendemain, il me donna l'indication tant recherchée. Il s'agissait du traité *Houline* 7a, dont voici le texte:

> «Rabbi Éléazar dit: Le sang qui coule d'une blessure équivaut au sang de l'holocauste, tandis que pour Rabba, cette remarque s'applique au sang provenant du pouce droit et à la condition qu'il s'agisse d'une seconde blessure, et que l'on ait été occupé à accomplir un commandement divin.»

La lecture du texte original me surprit surtout par la mention explicite, et là encore inattendue, de l'importance accordée à la main **droite**. Ne pensant pas alors que cette particularité puisse avoir une quelconque importance, je l'avais totalement effacée de ma mémoire, et pourtant...! Cette précision n'est sûrement pas due, semble-t-il, au seul hasard, puisque la Bible elle-même témoigne de ce qui paraît être une conception commune à toute la littérature juive. Ainsi s'exprime le *Lévitique* XIV, 14:

«Le prêtre prendra du sang de ce sacrifice et il en
mettra sur le lobe de l'oreille **droite** de celui qui se
purifie, sur le pouce de sa main **droite** et sur l'orteil de
son pied **droit**...»

Bien plus, à propos du traitement à infliger à l'esclave refu-
sant la liberté qui lui est accordée, la Bible relate, dans l'une de
ses rarissimes mentions de l'oreille, un cas étrange de pratique
puncturale auriculaire, et qui devait également être pratiquée sur
l'oreille **droite**, précisera le Talmud Kiddouchine 15b:

«Si tu achètes un esclave hébreu, il restera six années
esclave, et à la septième année, il sera remis en liberté,
sans rançon. S'il est venu seul, il sortira seul. S'il était
antérieurement marié, sa femme sortira avec lui. Par
contre, si son maître lui a donné une femme et s'il lui a
enfanté des fils ou des filles, la femme avec les enfants
appartiendront à son maître, et lui sortira tout seul. Si
l'esclave dit "j'aime mon maître, ma femme et mes enfants, je ne veux pas être affranchi", son maître l'amè-
nera au tribunal, il le fera approcher de la porte, et son
maître percera l'oreille avec un poinçon et il le servira
pour toujours.» (Exode, XXI. 2-6)

Série de coïncidences? ou structure d'une trame cohérente
sous-jacente aux quelques très rares textes bibliques, talmudiques
et kabbalistiques traitant de ce sujet?

Chapitre 4
LE ALÈPH ÉNERGÉTIQUE

1) «**Tohou** et **Bohou**»

2) «Mâle et femelle, il les créa»

1) TOHOU et BOHOU

La découverte d'une présence énergétique à droite permet, certes, d'identifier formellement l'existence d'une entité indépendante et différente du corps physique, mais soulève aussitôt une autre question: le halo énergétique n'est-il qu'un hémi-halo droit? Pourtant, les techniques de l'auriculo-médecine objectivent bel et bien l'existence d'une présence énergétique qui entoure tout le corps, sans distinction. Qu'y a-t-il donc à gauche?

Après la découverte d'un côté droit énergétique, j'avais mis au point des anneaux-tests «latéralité droite» et «latéralité gauche» qui me permirent de détecter directement l'origine de l'énergie analysée (droit ou non-droit, c'est-à-dire gauche). Cette latéralité énergétique est bien évidemment différente de la latéralité neurologique immuable puisqu'anatomique. Ainsi, par exemple, en passant l'anneau-test «latéralité droite» au-dessus du front, on peut déterminer la localisation de l'hémicorps énergétique droit qui doit physiologiquement se positionner au-dessus de l'hémisphère cérébral droit. Après cette phase diagnostique, l'anneau-test «latéralité droite» me sert à corriger les troubles de la latéralité énergétique cérébrale, en me permettant de repérer et de traiter ainsi les points à piquer. Les résultats obtenus par cette simple manœuvre thérapeutique furent à ce point probants qu'ils me plongèrent dans une certaine suffisance. Jusqu'au jour où...

Observation n° 6

Une femme de 40 ans, professeur de gymnastique, se présenta à la consultation. Depuis une dizaine d'années, elle souffrait de douleurs abdominales importantes non déterminées et qu'aucune thérapeutique n'avait réussi à faire disparaître. Je dois avouer que les premières séances se soldèrent également par un échec retentissant, au point de me donner l'impression de planter des aiguilles dans un mur!

J'allais lui proposer d'arrêter le traitement quand une anomalie me frappa: à deux reprises, je détectai des réactions du R.A.C. au-dessus du sein gauche et du genou gauche. La patiente me confirma la justesse de mon diagnostic, en précisant toutefois qu'il s'agissait du sein et du genou, non pas gauches, mais droits. Ne comprenant pas les raisons d'une telle réponse inversée, je m'empressai aussitôt de vérifier à nouveau la latéralisation frontale, mais... seulement pour confirmer une latéralisation correcte. Poussé par l'incompréhension, je prolongeai mes investigations en passant également ces anneaux-tests sur tout le corps, et je constatai alors que la «bulle» énergétique droite était séparée en deux segments, l'un recouvrant l'hémiface droit et l'autre l'hémicorps gauche (voir figure 17).

Devant ce résultat, je pris conscience que je n'avais jamais testé la latéralité énergétique sur tout le corps, tant il m'apparaissait évident que si la tête du corps énergétique était située à droite, le reste devait l'être également. Une fois de plus, je m'aperçus qu'en matière de corps énergétique, j'évoluais sur un tout autre niveau, dans lequel mes acquis antérieurs ne me servaient à rien, sinon à m'induire en erreur.

Après cette phase diagnostique, je replaçai l'ensemble du halo énergétique droit à droite, puis je recommençai le traitement particulier initialement appliqué. Je fis part à la patiente de ces nouveaux faits qui pourraient éventuellement se solder par une possible amélioration, en lui précisant toutefois qu'en dehors de tout changement notable il s'avérerait inutile de poursuivre les séances.

Plusieurs mois s'écoulèrent sans que je reçoive de nouvelles de cette patiente que je pensais ne pas avoir aidée. Puis un jour, je la revis en consultation. Elle m'apprit que depuis la dernière séance, les crises avaient disparu, mais que par prévention, elle préférait refaire une séance...!

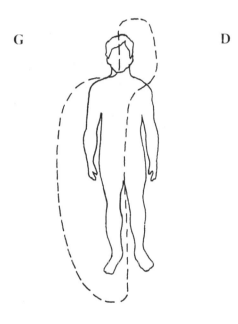

G   D

FIGURE 17
FIGURE DE L'OBSERVATION N° 6

Entre-temps, j'avais contrôlé systématiquement la répartition spatiale du corps énergétique, et j'avais effectivement constaté que le halo énergétique ne constitue pas un bloc rigide, mais qu'à la manière d'un nuage en perpétuelle mouvance, celui-ci emprunte toutes les positions possibles. Je pus constater également qu'il existe toujours une disparition du halo droit au-dessus des zones à problèmes, ainsi que l'illustre significativement ce cas:

Observation n° 7

Un sympathique couple new-yorkais, de passage à Jérusalem, vint me consulter. Depuis bientôt trois ans, cette psychologue, dans la quarantaine, présentait une toux spasmodique de survenue nocturne qui l'empêchait de dormir normalement. Les médecins américains consultés ne surent que faire, sinon d'instituer un traitement cortisonique qui entraîna bien entendu une nette diminution des symptômes, mais ceux-ci réapparurent dès l'arrêt du traitement.

Dès la première séance, je constatai une disparition du halo droit qui ne recouvrait plus les zones pulmonaire et trachéale droites. Je tentai alors de faire disparaître l'envahissement du «côté gauche», qui s'était établi sur ces mêmes régions délaissées par le «côté droit». À la seconde consultation, la patiente me signala une nette amélioration; cependant, l'examen détecta une persistance du «côté gauche» qui se localisait uniquement sur la zone laryngée.

Concentrant alors mes investigations diagnostiques sur cette poche de résistance, je constatai que plusieurs anneaux-tests «dépression» et «grossesse» réagissaient fortement à ce niveau...! Étonné, j'en parlai à son mari, professeur d'université qui me servait d'interprète. Celui-ci m'apprit alors qu'une longue psychothérapie avait été nécessaire pour diminuer l'angoisse et la dépression suscitées par l'éventualité d'une future grossesse... qui se faisait toujours attendre!

Dès lors, après avoir corrigé la dyslatéralité persistante, j'accentuai mes efforts sur la dépression et la peur, et après quelques séances, la malade m'annonça qu'elle passait de bonnes nuits. J'appris par la suite qu'à leur retour à New York, la patiente avait commencé une grossesse. Malheureusement, au troisième mois se produisit une fausse-couche, qui s'accompagna d'un retour des quintes de toux nocturnes. Ils revinrent à Jérusalem pour une reprise du traitement qui se solda à nouveau par une éradication des symptômes pulmonaires et... une nouvelle grossesse,

qu'elle mena cette fois-ci à terme. Une petite fille, qu'ils nommè-
rent «Amira[1]», finit par naître.

Ces deux exemples typiques, parmi d'autres, me permirent de
reconnaître l'existence d'une lutte énergétique pour la suprématie
entre le «côté droit» et le «côté gauche». Quand ce dernier pré-
domine au détriment du «côté droit», la maladie s'installe. Par
contre, avec le rejet de l'envahissement gauche, la maladie s'éloigne. Entre le «côté droit» et le «côté gauche» semble exister un
combat d'influence et de domination, dans lequel le «côté droit»
jouerait un rôle défensif contre la pénétration des phénomènes
morbides dus au «côté gauche».

Parallèlement à ces constatations cliniques, je poursuivais
mes recherches sur les sources juives, et à nouveau des passages
du *Bahir* me surprirent par l'analogie structurelle qu'ils présentaient avec cette problématique énergétique gauche/droite.

> «Il créa le **Bohou**[2] et le plaça dans la paix, comme il
> est dit: "Il établit la paix dans ses hauteurs" (Job: 25, 2).
> Ceci nous apprend que Mikhaël est le prince situé à la
> **droite** du saint, béni soit-il et qu'il est préposé à l'eau et
> à la grêle.
>
> »Il créa le mal et le plaça dans le **Tohou**, comme il
> est dit: "Il fait la paix et crée le mal" (Isaïe: 45, 7). Ceci
> nous apprend que Gabriel est le prince situé à **gauche** du
> Seigneur et qu'il est préposé au feu»...
>
> *Bahir:* 11 et 12
>
> «Il est dit dans Samuel: 12, 21: «Ne vous écartez pas
> à la suite des forces du **Tohou** qui ne servent à rien et
> qui ne sont d'aucun secours. Tout ce qu'elles savent
> faire c'est nuire...»
>
> *Bahir:* 167

---

1. «Amira» signifie en araméen: «parole»...!

2. Les termes de **Tohou** et **Bohou** sont des termes hébreux que l'on trouve mentionnés
   dès les premiers versets de la Bible:
   «Au commencement, Élohim créa le ciel et la terre; et la terre était **Tohou** et
   Bohou...» (Genèse: I-1)

Ainsi, il est clair que pour le *Bahir*, les forces du **Tohou** sont situées à **gauche** et ne cherchent qu'à nuire, alors que les forces du **Bohou** sont situées à **droite** et ne visent que la paix. Entre les deux, il existe une perpétuelle lutte d'influence comme le montre ce passage du *Bahir:* 163. «[...] Il n'est de **Tohou** que le mal qui égare les hommes jusqu'à ce qu'ils fautent et tout le mauvais penchant vient de là».

À travers ce schéma dichotomique transparaît déjà une analogie structurelle avec nos constatations expérimentales qui distinguent gauche/maladie et droite/bonne santé, ces deux forces énergétiques étant en perpétuelle lutte pour s'assurer de la suprématie corporelle.

Cependant, bien que cette partition droite/gauche serve de base à un symbolisme universel, un autre texte accentua ma surprise quant aux rapprochements qu'il était possible d'effectuer entre les structures bahiriennes et les structures énergétiques.

> «Les forces du **Tohou** ne penchent que vers la gauche d'où vient le mal, ainsi qu'il est dit: "car le cœur de l'homme est mauvais depuis son enfance" (Genèse: 8, 20). C'est pourquoi le saint béni soit-il dit: Si tu écoutes bien la voix de ton DIEU et si tu fais ce qui est droit à ses yeux (Exode 15, 26) (c'est-à-dire si tu suis les forces du **Bohou**) [...] toutes les maladies avec lesquelles j'ai frappé l'Égypte, je ne te les imposerai pas [...] Si tu prêtes l'oreille à mes ordres et si tu observes toutes mes lois [...] alors je te protégerai, car JE suis ton DIEU guérisseur.»
>
> *Bahir:* 163, 167

– Le **Tohou** est placé à **gauche** et assimilé à la maladie dont protège les forces guérisseuses et protectrices du **Bohou** situées à **droite**. Les forces du **Tohou** sont dirigées vers l'enfance, vers le monde des pulsions, des fantasmes, des instincts de mort: du «ça», dirons-nous. Par contre, les forces du **Bohou** sont orientées vers le principe de réalité ainsi que nous le laisse entendre le *Bahir* 2: «Que signifie **Bohou**? Une chose tangible, où il y a du réel, comme l'indique la composition même du mot: **bo** = en lui, et **hou** = quelque chose "est".»

Cette structure exprimée en termes religieux ne peut qu'évoquer le conflit énergétique droite/gauche et le conflit principe de plaisir/principe de réalité, instinct de mort/instinct de vie...

La condition sine qua non d'une protection efficace par les forces **Bohou-droites** est de «prêter l'oreille à ses commandements». Or, pour exprimer cet acte d'attention, le texte biblique emploie un terme très peu utilisé: «véAZaNta», qui signifie littéralement: «tu oreilleras». Bizarrerie littéraire utilisée justement dans ce contexte et qui ne manque pas d'évoquer le traitement auriculaire à appliquer pour lutter contre l'envahissement énergétique du «côté gauche» morbide...!

– La mise en échec des forces du **Tohou-gauche** se traduisent par une protection: «JE te protégerai de toutes les maladies que j'ai infligées à l'Égypte[1]» et par une guérison: «JE suis ton DIEU guérisseur.» Or, il en est de même pour l'éviction du «côté gauche» énergétique qui se caractérise par une disparition de la maladie: opinion que l'on retrouve également dans le *Bahir*[2]...

---

1. L'Égypte («MiTSRaïm» en hébreu) est, dans la littérature rabbinique, le symbole de la matière, car «MiTSRaïm» provient de la même racine que le mot «MeTSaR» qui veut dire «limite», comme caractérisant le monde de la matière, d'où en lecture symbolique: Moïse libéra les Hébreux de l'esclavage d'Égypte... = il les libéra de l'emprise de la matière... pour les faire accéder à un niveau spirituel (= Sinaï)!

2. Ainsi, à propos d'un verset d'Isaïe: 45, 7 qui traite de la création de la lumière et de l'obscurité: «Il forme (YeTSiRa) la lumière et crée (BéRia) les ténèbres», le *Bahir* 13 se lance dans une interprétation des différents termes utilisés («YeTSiRa» et «BéRia») pour fonder la création de ces deux notions que le *Bahir* relie implicitement, au cours de ses précédents enseignements, au **Tohou** et au **Bohou**. Et, à ce propos, le *Bahir* affirme que l'obscurité/Tohou n'a pas d'existence propre (HaVaYa), n'est pas «acte» (MaMaCHout). Le *Bahir* justifie son propos par l'utilisation du mot «BéRia», et le **Bahir** de continuer, aussi énigmatiquement – car, apparemment, sans rapport avec ce qui précède: «c'est comme si l'on disait: un tel a retrouvé sa santé (hiBRi)». En fait le *Bahir* mets en rapport les termes «BéRia» (création) et «hiBRi» (recouvrement de la santé) qui dérivent tous deux d'une même racine «BaR» qui signifie «mettre à l'extérieur». On comprend désormais pourquoi le *Bahir* fait référence à la notion de «recouvrement de la santé»: pour lui, la maladie comme les forces du Tohou/obscurité n'ont pas d'existence en soi, et le recouvrement de la santé dépendrait alors seulement d'une mise à l'extérieur (BaR) des processus morbides qui découlent des forces **Tohou**.

Du fait de ces analogies structurelles troublantes, et à l'instar de Freud qui utilisa des mythes grecs pour illustrer ses découvertes, nous avons, quant à nous, trouvé dans les structures bibliques un meilleur support à nos comparaisons analogiques. En hommage au *Bahir*, et tout simplement parce que ces deux termes, **Tohou** et **Bohou**, renvoient – par leur proximité phonétique, ainsi que par l'évocation d'enchevêtrement chaotique – à l'idée que je me fais de la mouvance perpétuelle de ces énergies antagonistes droites/gauches, j'ai préféré adopter cette terminologie pour désigner par **Bohou** les énergies du côté droit, et par **Tohou** les énergies du côté gauche:

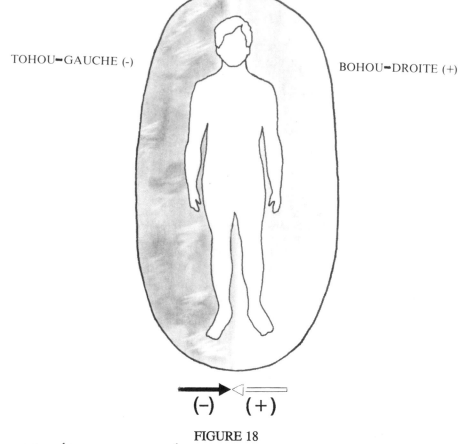

TOHOU–GAUCHE (-)   BOHOU–DROITE (+)

(–)   (+)

FIGURE 18
REPRÉSENTATION SCHÉMATIQUE DES FORCES ANTAGONISTES
EN PRÉSENCE: **TOHOU-GAUCHE; BOHOU-DROITE**

Exclusivement décrite de cette façon, cette répartition **gauche-Tohou/droite-Bohou** s'avère en fait une distinction manichéenne à la limite de la description erronée. En effet, lors du traitement punctural visant à éradiquer les zones **Bohou-gauches** désorganisatrices, nous avons pu constater en fin de correction que l'ensemble du corps se trouve alors entièrement recouvert par les seules énergies **Bohou** protectrices, ce qui implique qu'un individu en parfaite «santé énergétique» n'est latéralisé qu'à droite.

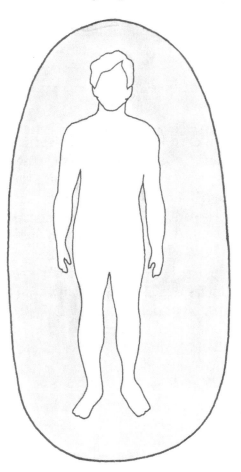

FIGURE 19
CORPS ENTIÈREMENT RECOUVERT PAR LES SEULES ÉNERGIES
DROITES-BOHOU = BONNE SANTÉ ÉNERGÉTIQUE

Dès lors, comment faire coïncider cette constatation avec celle qui nous a permis d'identifier un «côté droit» bénéfique ainsi qu'un «côté gauche» maléfique? En fait, il n'existe aucune contradiction entre ces deux énoncés, puisqu'un corps «moyen» – comme ceux que nous avons eu la chance d'examiner au début de nos découvertes – supporte généralement une double présence énergétique répartie, *grosso modo*, sur les hémicorps droit et gauche, alors qu'un corps énergétique «optimalisé» – car débarrassé de ses indésirables énergies **Tohou-gauches** – est entièrement couvert des seules énergies **Bohou-droites**. Aussi, pour les besoins de l'exposé et parce qu'en fait cette bipartition est la situation habituellement rencontrée en pratique, nous nous contenterons d'adopter une division «moyenne» dichotomique: **gauche-droite/Tohou-Bohou**.

Le fait qu'il n'existe pas d'énergie **Tohou-gauche** quand les énergies **Bohou-droites** s'épanouissent prouve que les forces **Tohou-gauches** ne peuvent s'installer qu'avec l'absence des forces protectrices **Bohou-droites**. De cette constatation, nous pouvons déduire que les forces **Tohou-gauches** s'avèrent être des sortes d'«anti-forces», des forces «charognardes» qui se sustentent du cadavre des énergies **Bohou**-droites en décomposition. Par contre, il n'existe jamais d'organisme vivant entièrement recouvert des seules énergies **Tohou-gauches**. En effet, lorsqu'à la surface du corps, on ne détecte plus la moindre trace d'énergie **Bohou-droite**, il est alors également impossible de révéler l'existence d'énergies **Tohou-gauches**, pour la simple et unique raison qu'il n'existe plus de réflexes vasculaires perceptibles des modifications du pouls à type de R.A.C.[1]!

Cette affirmation découle d'une constatation clinique: en effet, à un certain moment de mon exercice, je fus confronté à des patients sur lesquels le R.A.C. devenait de plus en plus difficile à prendre, voire impossible, et je ne compris pas pourquoi, subi-

---

1. Dans le chapitre 8 nous aurons l'occasion de revenir sur cette question: à savoir, quel est le responsable du R.A.C.?

tement, en l'espace de quelques semaines, j'éprouvais de plus en plus de difficulté à mettre le R.A.C. en évidence? Cette constatation prit même de telles proportions, que je crus devoir abandonner la pratique de l'auriculo-médecine!

Isolé à Jérusalem, je n'avais d'autre solution que de déployer le maximum d'efforts en vue de remédier à cette impondérable technique, ou alors de revenir à la médecine générale! Dans ce contexte de débâcle, alors que je cherchais dans toutes les directions possibles, j'imposai mon nouvel anneau-test «stabilisateur[1]» sur le front d'un malade au R.A.C. imprenable, et je sentis alors un très faible frémissement du pouls. Je me précipitai aussitôt sur cette occasion inespérée pour corriger derechef le point ainsi détecté. Je constatai alors qu'au fur et à mesure de ces premières corrections périlleuses, d'autres points apparaissaient à la suite, avec cette fois-ci de plus en plus de netteté du R.A.C.

J'avais l'impression de saisir l'extrémité d'une pelote que je rembobinais progressivement: j'avais l'impression de ramener, petit à petit, l'entité énergétique! Tout se passait comme si l'anneau-test «stabilisateur» permettait de repositionner bout à bout les deux parties complémentaires d'un même ensemble déchiré, et que les aiguilles implantées sur ces mêmes points servaient à réunifier les deux pans de cette même tunique: le corps physique avec le corps énergétique!

Ainsi, par cette manœuvre, je réussis à faire réhabiter énergétiquement ce corps physique auparavant déserté par les forces **Bohou-droites**, et ce faisant, j'échappai de justesse à une capitulation technique irrémédiable.

Entre-temps, toutes ces constatations m'avaient fait comprendre que l'envahissement **Tohou-gauche** se produisait consécutivement à l'apparition d'un décollement préjudiciable des forces **Bohou-droites** qui n'adhéraient plus au corps physique. Et cette

---

1. J'utilisai alors un anneau-test «stabilisateur» de ma fabrication, qui ne comportait plus de figures géométriques, mais des composants analogiques.

perte d'adhésivité générait un espace vide dans lequel s'engouf-
fraient aussitôt les forces **Tohou-gauches** qui n'attendaient que
cette vacance pour «squattériser» ce lieu abandonné!

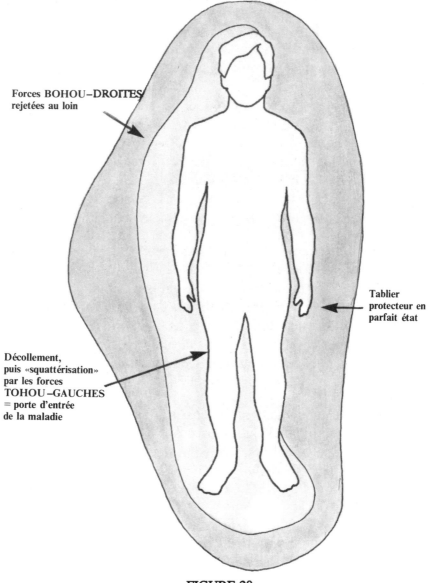

**Forces BOHOU–DROITES
rejetées au loin**

**Tablier
protecteur en
parfait état**

**Décollement,
puis «squattérisation»
par les forces
TOHOU–GAUCHES
= porte d'entrée
de la maladie**

**FIGURE 20
SCHÉMA DES PROCESSUS CONDUISANT À L'ENVAHISSEMENT
PAR LES FORCES TOHOU-GAUCHES**

Cette hypothèse, déjà logique en soi, se trouve en outre corroborée par une seconde technique de «reviviscence énergétique» beaucoup plus efficace et plus rapide, mais que je ne découvris que par la suite: il s'agit de la stimulation d'un point d'acupuncture[1].

Pourtant, longtemps auparavant, j'utilisais déjà avec une particulière efficacité cette technique que, d'autre part, tout le monde devrait connaître, tant elle permet de réanimer rapidement toute personne victime de malaise: syncope, lipothymie, faiblesse généralisée subite, crise d'hypoglycémie, crise de spasmophilie, etc.

Pour ma part, j'avais pris conscience de l'énorme intérêt que ce point pouvait avoir alors que j'exerçais encore mon travail de généraliste. Ce jour-là, je fus appelé en toute urgence auprès d'un de mes malades âgés qui ne réagissait plus; sur les lieux, je m'apprêtai à prévenir la famille qu'il n'y avait plus rien à faire, quand je me dis que je ne perdrais rien à stimuler ce point. À ma grande surprise, le malade se réveilla instantanément, comme si on venait de l'interrompre au milieu d'un rêve: il ne mourut que quelques années plus tard...!

Depuis, systématiquement, devant toute situation de malaise, je ne manque pas, en première intention, de stimuler ce point que les Chinois surnomment à juste titre «le point qui ne fait pas revivre que les morts».

Aussi est-ce naturellement que j'en vins à essayer cette simple technique alors que je compris que cette absence de R.A.C. pouvait également correspondre à une sorte de «mort énergétique».

---

1. Dans le dernier chapitre, qui sera consacré à un guide d'application pratique concernant les techniques thérapeutiques qui pourront être utilisées par tout un chacun, nous reviendrons de façon précise (voir page 225) sur cette simple pratique qui nous permettra par ailleurs de nous convaincre de l'existence d'un paramètre inconnu situé à l'extrémité de nos doigts.

Ce point se trouve situé à la racine du nez[1]. Il doit être stimulé soit par une aiguille, soit par une pression manuelle appliquée d'un coup sec avec l'arête d'un ongle dans le plan de la bissectrice de l'angle formé par la base du nez et le montant vertical de la lèvre supérieure.

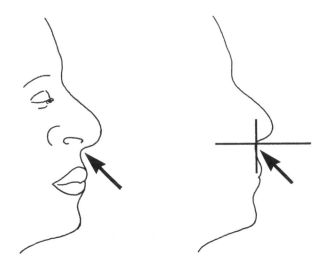

FIGURE 21
SITUATION DU POINT «QUI NE FAIT PAS REVIVRE QUE LES MORTS»

Lorsque ce point est piqué, avec la précision de repérage que permettent les techniques de l'auriculo-médecine, c'est-à-dire au 1/10e de millimètre près, on peut observer deux types précis de réaction:

– le plus fréquemment, les yeux se mettent subitement à larmoyer plus ou moins abondamment;

– parfois, certains patients particulièrement sensibles décrivent l'impression de sentir une décharge brusque et courte qui se répand dans tout le corps... comme si quelque chose d'antérieu-

---

1. En acupuncture, ce point est dénommé: le 26 V.G ou T.M.

rement concentré à cet endroit venait subitement de se déployer. Or, ces deux phénomènes rencontrent tout à fait notre supposition initiale, puisque l'impression de décharge illustre, d'une autre façon, l'hypothèse d'un type de «réintégration» corporelle des énergies **Bohou-droites** qui se seraient en quelque sorte «retranchées» dans ce bastion imprenable, alors que le cas du larmoiement prendra son entière signification lorsque nous aurons expliqué la valeur particulière à attribuer à cet écoulement aqueux au niveau des yeux.

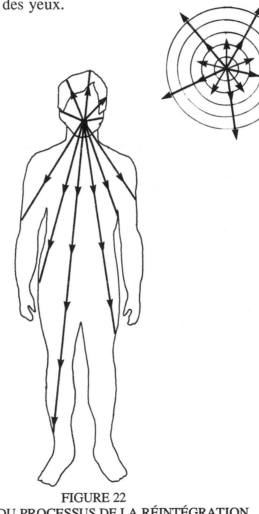

FIGURE 22
SCHÉMA DU PROCESSUS DE LA RÉINTÉGRATION
DES ÉNERGIES **BOHOU**

De surcroît, cette nouvelle étape raviva un problème encore irrésolu, à savoir pourquoi, malgré des recherches aussi approfondies, le Dr Nogier n'avait-il pu mettre en évidence l'existence du rayonnement des doigts? (voir page 84). De plus, il n'est nulle part fait mention que la prise du R.A.C. puisse subitement devenir imprenable[1]. Dès lors, comment concilier ces divergences, qui ne peuvent être mises sur le compte d'une quelconque négligence ni d'un côté ni de l'autre, et qui pourtant se présentèrent à plusieurs reprises?

Néanmoins, cette nouvelle expression d'une même problématique apporta un élément nouveau qui me permit d'élaborer une hypothèse. En réfléchissant à cette brusque et incompréhensible disparition du R.A.C., je m'aperçus que celle-ci avait coïncidé avec la période où j'étais occupé à comprendre le fonctionnement antagoniste des énergies **Tohou** et **Bohou**. Or, le seul dénominateur commun aux deux situations était justement une compréhension nouvelle qui avait favorisé ces constatations inédites: dans le cas du rayonnement des doigts, ce fut la réflexion sur un texte talmudique, alors que dans celui de la disparition du R.A.C., ce fut la découverte de l'existence d'énergies conflictuelles. Tout s'était passé comme si le savoir énergétique n'était pas une simple accumulation encyclopédique de connaissances, mais une clé vivante qui permet d'accéder à d'autres horizons qui, sans elle, auraient été à jamais cachés.

Tout s'était passé comme si ma préconscience des sujets était elle-même une sorte de projecteur braqué subitement sur des phénomènes qui jusqu'à présent étaient restés tranquillement tapis dans l'ombre. Cette préconnaissance peut se comparer d'une façon imagée à un escabeau sans lequel il serait impossible d'accéder à un autre niveau. En d'autres termes, le savoir énergétique s'apparentait plus à un savoir «initiatique» qu'à des acquisitions

---

1. Tout au plus, sa prise peut devenir difficile, et ce phénomène poussa le Dr Nogier à mettre au point un «amplificateur de R.A.C.», mais non un «régénérateur de R.A.C.».

formelles[1]. Pour autant, celui-ci n'en demeure pas moins un savoir qui se prétend scientifique, dans le sens où il fixe des lois
qui peuvent être contrôlées par la démarche expérimentale et
enseignées didactiquement. C'est dire que l'accès à ce savoir ne
dépend pas uniquement de connaissances livresques, mais fait
également appel à une compréhension strictement individuelle.
D'où la large part du symbole – qui peut également prendre
plusieurs connotations différentes pour une même représentation – dans cette connaissance qui semble se situer à mi-chemin
entre le savoir médical objectivant et le savoir, plus ou moins
subjectif, des sciences humaines. Ce qui laisse à penser que, plus
le savoir énergétique sera développé, plus le pouvoir énergétique
le sera également.

Cet aspect n'est sûrement pas étranger au fait qu'au fur et à
mesure de ma progression mes résultats thérapeutiques devinrent
de plus en plus probants, au point de finir par m'enlever toute
réticence à exposer mes recherches. Voici, à mon sens, pourquoi
le Dr Nogier n'aurait pu découvrir ce que le jeune auriculo-
médecin que j'étais mit en lumière. Il ne s'agit pas là d'une
quelconque «prétention», mais au contraire de la prise de conscience que cette série de découvertes correspondait plutôt à ma
situation personnelle, qui m'a fait me trouver à la croisée de
plusieurs chemins qui alliaient: médecine traditionnelle et médecines parallèles; intuition et esprit analytique; culture juive et
culture générale; sensibilité d'une enfance passée en Orient et
d'une formation intellectuelle acquise en Occident...

---

1. Bruno Bettelheim, dans *Le poids d'une vie* (Éditions Robert Laffont) ne dit pas autre
chose: «Si un livre pouvait provoquer en moi "ce choc de la reconnaissance", c'est
uniquement parce qu'il se passait dans mon subconscient quelque chose qui m'avait
rendu prêt à recevoir le message et me l'avait rendu nécessaire. Un processus
intérieur s'était mis en marche, quelque chose de vague qui, soudain, grâce à la
lecture, prenait une forme concrète.»

2) «MÂLE et FEMELLE, IL LES CRÉA»

Ainsi, ce fut la découverte d'un rayonnement digital du seul côté droit qui me poussa à chercher ce qui se trame du côté gauche du corps énergétique. L'observation clinique nous a en effet permis d'établir l'existence d'un couple de forces antagonistes (droite/gauche) qui s'exercent par-delà une ligne de démarcation verticale passant fictivement et approximativement par la ligne médiane du corps physique. Du côté droit se trouve une composante énergétique «bienfaisante», «organisatrice», «protectrice», «guérissante» que nous avons dénommée, en l'honneur du *Bahir*, les forces **Bohou**. Par contre, du côté gauche se trouve une composante énergétique «maléfique», «sinistre», «désorganisatrice», «morbide», que nous avons appelée les forces **Tohou**. Ces termes évoquent l'idée d'un chaos préorganisateur en perpétuelle mouvance et l'image de deux forces conflictuelles intimement imbriquées. Mais au-delà de cette frontière artificielle moyenne, l'affrontement des deux frères ennemis **Tohou** et **Bohou** ne dessine pas réellement une délimitation tranchée passant par la stricte ligne de symétrie du corps, car en fonction de l'état psychique et physique de la personne considérée, la ligne de partage adopte un tracé précis donné. Toutefois, pour les besoins de l'exposé ainsi que pour la distinguer d'une autre ligne de force que nous allons maintenant décrire, nous considérerons qu'il existe une sorte de frontière verticale passant par le milieu du corps et qui détermine deux secteurs, **droit-Bohou** et **gauche-Tohou**, avec toutes les connotations symboliques attribuées à ces orientations.

Mais cette délimitation n'est pas la seule rencontrée; en effet, les théoriciens de l'auriculo-médecine décrivent également l'existence d'une autre frontière, fixe cette fois-ci, qui passe par la ligne claviculaire et sépare le corps en deux zones opposées l'une à l'autre (voir figure 23):

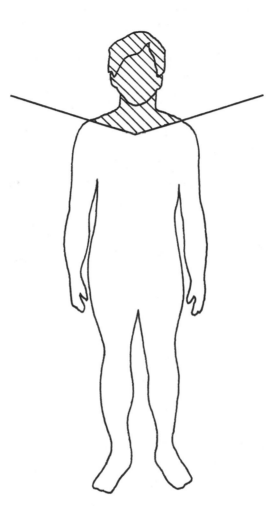

FIGURE 23
LA FRONTIÈRE CLAVICULAIRE

«Une frontière existe à la hauteur de la ligne claviculaire. Les effets s'inversent de part et d'autre de cette frontière. Une couleur projetée ou un filtre de cette couleur placé au-dessus de cette ligne (par exemple le front) acquiert un pouvoir «vital» activateur: toutes les réactions qu'elle conditionne se trouvent stimulées au R.A.C.

«Une couleur projetée ou un filtre coloré placé au-dessous de cette ligne (par exemple sur la main) acquiert au contraire un pouvoir vital inhibiteur; toutes les réactions qu'elle conditionne se trouvent bloquées au R.A.C., comme si le tissu, la structure et le malade étaient brusquement affaiblis ou dévitalisés.

»Ces phénomènes nous conduisent à envisager l'action d'un système réticulaire du fait d'une part de ces deux polarités activatrices et inhibitrices et d'autre part de son application à une entité anatomique purement céphalique: nous pensons que cette action est probablement associée au noyau médioventral-thalamique.

»Mais, il nous est guère possible d'aller plus loin.»

Dr Bourdiol, *L'auriculo-somatologie*, Éditions Maisonneuve.

Si effectivement l'existence d'une frontière claviculaire se vérifie tous les jours en pratique clinique, par contre certaines expériences qui seront décrites ultérieurement démontreront catégoriquement qu'il ne peut être question de faire référence à une quelconque justification neuro-anatomique. Pour autant, la signification de cette ligne de démarcation m'échappait également.

Après avoir rencontré, au hasard de mes consultations et de mes lectures, des faits incompréhensibles (cette frontière claviculaire, par exemple) qui m'interpellèrent suffisamment pour me forcer à réfléchir sur ces questions insolubles, une hypothèse intéressante finit par jaillir... mais cette fois-ci par l'intermédiaire d'un voisin!

À cette époque, j'eus à soigner plusieurs femmes enceintes qui me demandèrent si l'on pouvait déterminer le sexe d'un fœtus par les méthodes de l'auriculo-médecine? En possession de nouveaux tests «masculin» et «féminin» et occupé alors à analyser les tenants et aboutissants, par ailleurs fort instructifs, de ce couple de paramètres, par curiosité j'acceptai la gageure et tentai d'émettre un «oracle».

Le terme de certaines d'entre elles arriva et elles m'annoncèrent toutes, petit sourire en coin, que je m'étais trompé! Certes, l'erreur est humaine, mais l'erreur systématique éveille la suspicion. Je pouvais assurément m'être trompé, mais j'aurais dû au moins obtenir quelques résultats positifs puisqu'il y avait au moins une chance sur deux (garçon ou fille) de tomber juste..!

Que s'était-il passé? Pourquoi cette inversion **trop** systématique à mon gré, et tout aussi systématique que l'inversion claviculaire précédemment décrite?

La réponse ne tarda pas à venir, mais d'une façon quelque peu inattendue. Après une journée de consultations, je retournai chez moi en compagnie de mon voisin, A.W., qui me questionna sur l'objet de mes préoccupations, lesquelles devaient assurément se lire sur mon visage. Au courant de mes recherches, je lui expliquai mon étonnement face aux revers trop systématiques que je venais d'essuyer, ainsi que l'existence d'une autre inversion tout aussi systématique et tout aussi incompréhensible: la frontière claviculaire. Spontanément, il émit une hypothèse: «Cette opposition ne correspondrait-elle pas à l'opposition masculin/féminin?»

Alors que depuis quelques jours ce problème me hantait sans que je puisse y trouver la moindre explication, autant de spontanéité et d'évidence me laissèrent tout autant pantois que soulagé, car son hypothèse heureuse répondait aussi bien à l'opposition «symbolique» tête/corps qu'aux erreurs constatées; celles-ci pouvant, dès lors, se justifier par une erreur de signes plutôt que par une méthode inadéquate.

L'examen d'une femme enceinte ne porte-t-il pas sur deux entités énergétiques entremêlées, celle de la mère et celle de son enfant? Or, quand la mère porte un garçon (à prépondérance énergétique mâle), la somme des énergies s'inverse comme le font un plus et un moins... et le hasard avait voulu qu'à cette époque, les femmes consultées accouchèrent toutes de garçons! À quoi tient une découverte...!

Ainsi, la frontière claviculaire sépare deux zones à jamais antagonistes:

$$\frac{\text{tête-masculin}}{\text{corps-féminin}}$$

...mais qui ne peuvent subsister l'une sans l'autre, comme le souligne le mythe de l'androgyne initial que l'on retrouve dans de nombreuses cosmogonies à la recherche d'une unité première dans laquelle se confondraient les opposés.

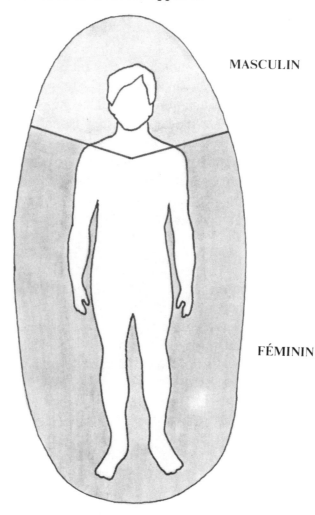

FIGURE 24
OPPOSITION MASCULIN-TÊTE/FÉMININ-CORPS
DE L'ENTITÉ ÉNERGÉTIQUE

Ainsi, le halo énergétique peut être subdivisé en quatre zones:

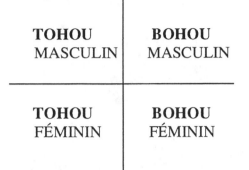

TOHOU MASCULIN	**BOHOU** MASCULIN
TOHOU FÉMININ	**BOHOU** FÉMININ

FIGURE 25
PREMIÈRE REPRÉSENTATION SCHÉMATIQUE DE LA DIVISION
DE L'ESPACE DE LA «BULLE» ÉNERGÉTIQUE

À cette représentaîon statique artificielle – et somme toute fausse –, nous préférons une schématisation dynamique constituée également de quatre espaces, mais plus imbriqués les uns dans les autres comme le sont réellement les antagonistes énergétiques: il s'agit de la forme du **ALÈPH**[1]. La barre diagonale (le VaV) représenterait la frontière claviculaire[2], alors que les deux extensions latérales (les YoD) délimiteraient les champs d'influence des forces **Tohou** et **Bohou**.

---

1. Et bien que le **ALÈPH** soit, actuellement, seulement utilisé dans la langue hébraïque dont il constitue la première lettre, il faut savoir que ce choix ne contient pas de connotation culturelle restreinte puisque l'origine de ce graphisme plonge ses racines dans le berceau de la civilisation et de l'écriture, c'est-à-dire dans le croissant fertile. En effet, les 22 lettres de cet alphabet consonantique ont été découvertes par des peuplades araméennes aux environs du 1er millénaire avant J.-C. Exilés alors à Babylone, les Hébreux, sous la direction d'Ezra le scribe, échangèrent cette nouvelle écriture contre le paléo-hébreu et gardèrent ce graphisme inchangé jusqu'à aujourd'hui. Par contre, dans les autres écritures alphabétiques, cette lettre se transforma progressivement pour donner: le Alif, le Alpha, le A...

2. Bien que la frontière claviculaire soit constituée d'une double obliquité, l'inclinaison du VaV peut paraître trop exagérée. Toutefois, à ce stade de notre rapprochement – qui, ne le perdons pas de vue, ne tend qu'à substituer une représentation spatiale quaternaire par une autre – nous pouvons quand même déjà entrevoir que cette position s'adapte mieux à la réalité énergétique, dans la mesure où elle est moins rigide qu'un trait droit, et reflète mieux l'imbrication des différents éléments que ne le feraient de simples angles droits.

YoD (10e lettre de
l'alphabet hébreu)

YoD

VaV (6e lettre de l'alphabet)

FIGURE 26
LE ALÈPH SE CONSTITUE À PARTIR DE TROIS LETTRES SIMPLES

Féminin   Masculin

FIGURE 27
OPPOSITION HORIZONTALE: MASCULIN/FÉMININ

Bohou-Droit   Tohou-Gauche

FIGURE 28
OPPOSITION VERTICALE BOHOU-TOHOU

Aussi adopterons-nous cette représentation comme moyen mnémotechnique plus adapté pour exprimer l'idée de dynamique, dc mouvance et d'imbrication des forces antagonistes en présence dans le halo énergétique.

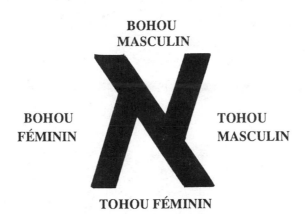

FIGURE 29
NOUVELLE REPRÉSENTATION SCHÉMATIQUE
DE LA RÉPARTITION QUATERNAIRE
DE LA «BULLE» ÉNERGÉTIQUE.

Toutefois, avoir choisi, pour ces seules raisons, une figure si fortement chargée de connotations culturelles pourrait paraître quelque peu tendancieux et forcé. Mais si, malgré ces inconvénients, nous avons quand même opté pour une telle représentation schématique, c'est parce que celle-ci nous apparut – et nous apparaîtra encore – plus conforme à la réalité énergétique, et parce que le schéma anodin du **ALÈPH** s'avérera être une parfaite représentation symbolique de la conception globale que nous nous faisons de l'homme. Au cours de cet ouvrage, et surtout dans un prochain livre qui sera exclusivement consacré aux significations symboliques contenues dans cette figure, nous aurons longuement l'occasion de développer cette approche.

Notons que malgré ces découvertes, j'ignorais toujours par ailleurs quelles pouvaient être les significations des différents rayons qui se situaient aux extrémités des doigts.

Chapitre 5
LE «MINI-SCANNER» PORTATIF

1) Un rêve

2) La lampe à couleurs

3) Le mouchard de notre enfance

4) Le petit pouce

5) L'alliance de l'annulaire

1) UN RÊVE

Je me trouvais à Lyon, dans mon ancien cabinet médical, et pourtant je ne reconnaissais pas les lieux. L'endroit n'était plus le même, l'immeuble avait été modifié, restructuré, repeint; l'escalier était en colimaçon, bordé de rampes vitrées et garni de fleurs; la salle de soins paraissait immense, meublée différemment, et surtout encombrée par une prolifération d'appareils médicaux perfectionnés que je ne connaissais pas et dont je n'avais jamais entendu parler.

Je restais étonné devant cette transformation aussi radicale, les yeux rivés sur ce matériel inconnu, avec la sensation de revenir d'un long voyage! J'avais l'impression de ne plus évoluer selon les critères du temps chronologique; je venais de quitter mon ancien cabinet, et pourtant le changement intervenu me faisait comprendre que de très nombreuses années s'étaient écoulées. J'avais quitté un monde familier, je retrouvais un décor étranger. J'avais abandonné un exercice médical de généraliste, et je me retrouvais dans une pièce évoquant, par son encombrement d'appareillages perfectionnés, une salle de réanimation. J'avais laissé un gamin, je retrouvais un vieillard!

Décontenancé par tout cet attirail, je restais figé, contemplant en silence l'évolution des techniques médicales avec autant d'étonnement que si je contemplais un tableau d'art abstrait particulièrement hermétique!

Dans mon ancien cabinet, revu et corrigé par les seigneurs du rêve, se tenait le jeune confrère qui m'avait remplacé depuis mon départ en Israël. Tel un jeune carabin en stage, conscient de mon ignorance et de mes défaillances, je le questionnais sur l'utilité respective de chaque appareil. Mon étonnement alla en grandissant en apprenant que certains d'entre eux ne servaient qu'à mesurer des paramètres aussi futiles qu'inutiles, comme la mesure de la flexion de l'index, par exemple...! Je ne comprenais pas ce que signifiait cette mascarade; j'étais en face de gadgets médicaux et non d'un réel progrès. Je hochai la tête en regrettant le sentiment de gêne, voire d'infériorité, qui m'avait envahi alors que je ne me trouvais qu'en face d'un leurre. Pourquoi cette tromperie ridicule et révoltante? Ce jeune confrère consciencieux, sérieux et animé d'une vocation médicale sincère, n'était pourtant pas du genre à se rabaisser à de telles supercheries, à de telles expositions tapageuses et trompeuses de charlatan! Je compris alors qu'il s'agissait de la réelle évolution médicale de l'époque et que ce jeune médecin n'était en fait qu'une victime du système auquel il croyait naïvement par soumission et par confiance.

Il était deux heures du matin. Dans la nuit de cette incompréhension et de cet égarement, je m'apprêtais, dépité, à quitter définitivement ce cabinet auquel j'étais pourtant attaché affectivement. Sur le pas de la porte, je me retournai, marquant un temps d'arrêt, et levai ma main droite en l'air comme l'aurait fait

un prestidigitateur prenant à témoin son public, puis, avec dé-
ception et une pointe d'ironie, je dis:

— Quant à moi, voici mon seul instrument de travail.

Ainsi s'acheva ce rêve qui illustre l'ampleur des changements intervenus dans mes conceptions théoriques ainsi que dans ma pratique médicale. Cet épisode onirique résume parfaitement les sentiments d'étrangeté et de coupure qui m'étreignent en contemplant, d'une part le médecin généraliste que j'étais, et d'autre part ma nouvelle façon d'exercer mon art. Cette fugue nocturne traduit l'étendue des mutations effectuées, à mesure où, de jour en jour, je m'oriente vers une méthode saine, naturelle, dépourvue d'effets secondaires, m'apportant tant de satisfaction, d'épanouissement, de possibilités d'intégrer la marque d'individualité propre à chaque personne, et qui surtout est responsable de tant de résultats thérapeutiques encourageants.

Quant à la main que je montrai, elle évoquait les réels progrès obtenus à partir des déductions pratiques tirées de l'existence des rayonnements qui «nimbaient» les doigts de la main droite. En effet, malgré le temps qui s'était écoulé depuis mon départ, je n'avais jamais cessé d'exercer, de soigner efficacement, beaucoup plus efficacement même qu'auparavant, plus simplement, plus naturellement, mais en utilisant principalement les ressources mêmes du corps porteur d'une entité énergétique des plus enivrantes!

Les deux cas cliniques suivants représentent une parfaite illustration de l'ampleur des transformations introduites dans mon exercice médical.

Observation n° 8

Au cours d'une journée de consultation chargée, un camarade insista lourdement pour que je le reçoive en urgence, arguant qu'il souffrait de douleurs abdominales et de vomissements qui l'épuisaient au point de l'empêcher de travailler... ce qui était terrible pour ce «jeune loup»! Du fait des lenteurs et des tracas du système médical israélien, j'acceptai quand même de le recevoir entre deux patients, et ceci malgré mon abandon de la médecine générale. Il craignait une appendicite et voulait seulement être rassuré.

Sans pratiquer la classique palpation de l'abdomen à la recherche d'une éventuelle contraction ou défense de la paroi abdominale, sans pratiquer de toucher rectal, sans même lui donner l'occasion de s'allonger sur la table d'auscultation, de ma main gauche je me saisis de son pouls radial, et de l'autre main je passai mon auriculaire au-dessus de son abdomen. Le passage de mon petit doigt déclencha une forte modification de l'amplitude du R.A.C., non au-dessus de la zone appendiculaire suspectée, mais au-dessus du foie. J'effectuai une rapide vérification auriculaire: le point pathologique responsable se projeta effectivement sur la projection de la vésicule biliaire et non sur celui de l'intestin! Par précaution, j'effectuai une contre-vérification en piquant le point «vésicule biliaire», tout en sachant d'autre part que les douleurs dues à une infection aiguë ne pouvaient être soulagées par cette technique puncturale. Aussitôt l'aiguille introduite, les douleurs et la gêne abdominale disparurent: il s'agissait d'une simple crise de foie survenue après de trop copieux repas de fête.

Étonné par cette imprévisible amélioration, cet homme d'affaires très occupé à lancer une nouvelle revue insista pour que je fasse quelque chose pour les douleurs lombaires dont il souffrait de façon chronique. Même procédé, même soulagement instantané et même nouvelle plainte. Cette fois-ci, il me fit part du léger enrouement qui réveillait ses craintes de voir réapparaître des polypes des cordes vocales. N'étant pas O.R.L., la seule chose que je pouvais faire était de le soulager symptomatiquement de l'enrouement présent en attendant qu'il aille consulter un spécialiste. Malgré mon impatience grandissante, je repérai localement trois points que je piquai directement, sans prendre la peine de rechercher leurs projections auriculaires. L'enrouement disparut tout de même...! Ce jour-là, la chance lui avait souri, mais ces trois belles réussites successives me laissèrent interloqué tant par la rapidité d'exécution diagnostique et thérapeutique que par les résultats spectaculaires obtenus: toutes ces opérations n'avaient duré que quelques minutes...!

Stupéfait, mais ravi, ne comprenant rien à ce qui venait de se passer, ce «jeune loup» se glissa subrepticement vers la sortie, conscient d'avoir abusé mais trop content d'avoir été soulagé si rapidement de ses multiples ennuis.

Observation n° 9

Par une chaude soirée, à la fin d'un mariage qui venait de se dérouler bruyamment et dans l'allégresse, je quittai l'agitation de la salle à la recherche d'un peu de calme et d'air frais.

Dans le jardin, j'aperçus un attroupement fébrile autour du frère de la mariée. Ce médecin s'affairait auprès du père du marié, lui-même pédiatre, et qui venait de faire une forte crise d'oppression thoracique. Pensant à une surexcitation émotive, mon confrère s'apprêtait déjà à lui injecter une ampoule de calmant, ne sachant pas, et ne pouvant savoir, s'il s'agissait d'un infarctus du myocarde ou d'une réaction émotionnelle. Tout en relaxant le malade, et faute de mieux, cette technique permet, en cas d'inefficacité de l'administration d'anxiolytique, d'éliminer rapidement une crise d'angoisse.

Connaissant la famille, je me permis, le plus discrètement possible, d'intervenir en effectuant un simple geste diagnostique: je passai successivement l'auriculaire et le pouce au-dessus de la zone précordiale. Seul le passage de l'auriculaire provoqua une intense et persistante modification du R.A.C.: le diagnostic d'infarctus s'imposait. Je leur fis part de mes déductions en leur conseillant de ne plus attendre et d'appeler le service médical d'urgence. Le médecin délaissa aussitôt sa seringue déjà prête et l'appela aussitôt. Sur place, les réanimateurs effectuèrent un électrocardiogramme et diagnostiquèrent une nécrose massive...

Aujourd'hui encore, je m'étonne de l'adhésion du médecin à mes conseils et pourtant, il n'avait dû rien comprendre à ce que je venais de faire!

Je le revis à la circoncision du premier enfant né de cette union; il se rappelait fort bien ce qui s'était passé et, à ce propos, il me fit part de son étonnement et de celui du pédiatre à l'égard de mon geste incompréhensible, et surtout de la sûreté de mon diagnostic apparemment «magique».

En l'entendant parler, je ne pus m'empêcher de me remémorer ces nuits de garde passées à sillonner Lyon endormie, avec son lot de dilemmes angoissants face aux suspicions d'infarctus, où parfois ni l'aide de l'électrocardiogramme (parfois muet dans les premières heures) ni la présence d'un confrère n'étaient d'aucun secours pour trancher en faveur d'une hospitalisation ou d'un maintien à domicile. Ne parlons pas des crises abdominales de l'enfant qui représentaient le cauchemar du jeune médecin que j'étais, tant la crainte de laisser passer un diagnostic opératoire me hantait devant le silence de l'enfant terrorisé par un éventuel acte chirurgical ou devant l'incapacité du nourrisson à s'exprimer! N'étant plus confronté à ces situations, j'avais oublié combien ces incertitudes empoisonnaient l'exercice praticien, et en particulier celui des généralistes se trouvant en dehors d'un milieu hospitalier rassurant.

Dans la cour de cette synagogue, je réalisai alors que j'avais à ma disposition une aide[1] diagnostique non négligeable qui pouvait amoindrir tant le nombre d'hospitalisations abusives que les problèmes diagnostiques.

Avais-je seulement le droit, pour préserver ma tranquillité, de garder pour moi cette découverte?

---

1. En effet, il s'agit bien de cela et de rien d'autre: d'une aide diagnostique. L'apport thérapeutique bien plus fondamental sera envisagé ultérieurement. Malgré les apparences, cette orientation diagnostique ne peut prétendre se substituer à la démarche diagnostique traditionnelle. Celle-ci devant être – idéalement – toujours appliquée avec rigueur, car nous verrons que dans certains cas précis, ce type de diagnostic s'avère totalement et franchement erroné. En fait, cet appoint thérapeutique est essentiellement rapporté à ce niveau parce qu'elle nous a permis de comprendre la signification des différents rayonnements des doigts, et secondairement, de mettre au point une méthode thérapeutique particulièrement efficace.

2) LA LAMPE À COULEURS

L'existence de rayons colorés prolongeant les doigts de la main me permit, non seulement de dévoiler la présence d'une entité énergétique indépendante coexistante à nos côtés, mais également de mettre au point certaines techniques médicales.

Cette appellation de rayons colorés peut paraître en fait quelque peu abusive, puisque le passage des filtres colorés au-dessus des doigts m'avait seulement permis d'établir une des caractéristiques de ces rayons et non leurs colorations. Néanmoins, l'utilisation en auriculo-médecine d'une certaine lampe à couleurs me suggéra cette description imagée. La lampe à couleurs est une sorte de lampe de poche mise au point par le Dr Nogier et qui, grâce à une tourelle spéciale, permet de projeter des rayons colorés. La production de ceux-ci est réalisée par le passage d'une lumière blanche à travers des écrans dont on connaît les fréquences d'absorption.

Ces écrans Wratten-Kodak sont du même type que ceux utilisés pour la constitution des anneaux-tests colorés, mais leur plus petite dimension permet de les disposer dans la tourelle de cet instrument et d'être ainsi projetés. Ceci explique l'utilisation abusive du terme «rayonnement coloré» employé par commodité pour désigner les rayons détectés par des couleurs.

Rayonnement ne veut pas dire émanation, puisque nous avons déjà montré qu'il ne s'agit que d'une superposition réussie de deux entités différentes, dissemblables, mais qui donnent l'impression trompeuse d'une continuité, d'un tout uniforme au point qu'on l'ait étiqueté émanation.

Et si nous avions la possibilité de visualiser ces rayons colorés en les comparant aux feux des projecteurs, je vous laisse imaginer le merveilleux spectacle de figurines réalisé par le mouvement de nos doigts: majestueux ballet de cornes colorées illuminant la nuit de rouge, de bleu, de vert, d'orange... Ainsi, grâce à cette autre technique, le vocabulaire «énergétique» de ce nouveau langage corporel s'enrichit d'autres notions (couleur

approchée et couleur projetée) multipliant par là même les possibilités de dialogue avec le corps.

3) LE MOUCHARD DE NOTRE ENFANCE

L'enseignement traditionnel de l'auriculo-médecine soutient
que la projection de la couleur rouge 25 sur le pavillon auriculaire permet de détecter les zones pathologiques représentées sur
la classique cartographie de l'embryon. Mes propres constatations cliniques me permirent de corroborer cette donnée, mais
cette fois-ci en n'utilisant pas la lampe à couleurs mais le passage
de l'auriculaire, qui se comporte comme si le petit doigt projetait
un faisceau coloré identique à celui obtenu par le rouge 25 de la
lampe à couleurs.

J'utilisais cette technique avec succès, en constatant d'une
part qu'il n'existe pratiquement[1] pas d'atteinte organique qui ne
réagisse pas à l'auriculaire, et d'autre part que la cartographie de
l'embryon est effectivement détectée par l'intermédiaire de la
seule «projection» auriculaire.

Telle était la technique que j'avais utilisée pour diagnostiquer
avec tant d'assurance l'infarctus du myocarde chez ce pédiatre.
C'était également ce simple mouvement du petit doigt qui me
sauvegarda d'une «capitulation» devant des médecins de l'hôpital Chaaré-Tsedek de Jérusalem. À l'époque, je consultai à la
«clinique de la douleur» et dans le cadre d'un projet de recherche,
le patron du service maxillo-facial me présenta à son équipe. À sa
demande, j'esquissai un bref exposé sur les capacités diagnostiques
de la méthode. En m'entendant vanter les «louanges» de cette
nouvelle technique, un médecin me proposa de vérifier immédiatement le bien-fondé de mes affirmations. Souffrant de douleurs, il
me demanda d'en découvrir la localisation.

---

1. À une exception majeure près: lors d'atteinte organique **irrémédiable** (comme par
   exemple, dans le cas d'une obstruction totale d'une artère coronaire), le passage de
   l'auriculaire ne provoque aucune réaction du R.A.C. Et pourtant, il existe bien une
   atteinte organique importante...! Nous tenterons ultérieurement d'expliquer cette
   inadéquation.

Trop téméraire pour me retrancher derrière l'excuse d'une réelle absence de matériel, j'acceptai tout de même la gageure. Je me saisis de son pouls et passai l'auriculaire au-dessus de son oreille. Heureusement pour moi, seule la zone anthélicale répondit franchement à ce balayage digital: il s'agissait d'un trouble de la cinquième vertèbre lombaire. Ce diagnostic de lombalgie le remplit d'aise... et moi donc!

Ainsi le rouge 25 – ou du moins l'archaïque rouge 25 – fut remplacé par le rayon projeté par l'auriculaire dont le survol du corps «moucharde» toute atteinte organique, de la même façon que le petit doigt de nos parents leur permettait de savoir qui venait de commettre une bêtise: «C'est mon petit doigt qui me l'a dit!»

Ces constatations amorcèrent l'abandon de la lampe à couleurs, qui alla bientôt rejoindre les antiques instruments médicaux derrière les vitrines du musée de la médecine.

Adieu pénibles manipulations!

Adieu encombrante lampe qui prenait un malin plaisir à tomber en panne précisément aux moments les plus laborieux...!

Bonjour petite main, miraculeuse lampe d'Aladin!

Adieu société de consommation!

Bonjour merveilleuse nature oubliée qui nous a dotés d'une sorte de lampe à couleurs hypermaniable, à triple flexion, orientable, inusable, facilement transportable, discrète et ne prenant de surcroît aucune place!

4) LE PETIT POUCE

Observation n° 10

Une ancienne patiente lyonnaise me téléphona pour me demander de recevoir en urgence sa fille, qui présentait depuis bientôt deux semaines de fortes et permanentes céphalées accompagnées de vertiges et de nausées. Les détestables lenteurs du système médical israélien n'avaient pas encore permis de réaliser l'indispensable électro-encéphalogramme qui s'imposait devant ces symptômes inquiétants et évocateurs (du fait de l'intensité et de la persistance des troubles) d'un possible processus intra-crânien.

Je la reçus et commençai l'examen d'auriculo-médecine. Pour cela, je passai en revue différents tests, et le R.A.C. en sélection-na trois: «douleurs», «cerveau» et ...«oreille». Étonné par cette dernière donnée dont aucun élément ne m'avait laissé entrevoir la survenue, je poussai les investigations diagnostiques en es-sayant de déterminer, par une méthode spéciale, la cause respon-sable de ces différents maux: cerveau ou oreille? Je retombai à nouveau sur le test «oreille»! Toutefois, avant de leur faire part du résultat de mes recherches, je tins à m'assurer du bien-fondé de ce diagnostic inattendu. Je tentai alors une contre-vérification:

En cas de justesse de ma déduction, le traitement punctural des points détectés au moyen de ce test «oreille» devrait alors entraîner la diminution, voire la disparition, des troubles. C'est ce qui se passa immédiatement après l'implantation des aiguilles; les céphalées cessèrent, et vertiges et nausées disparurent radica-lement!

Quelques jours plus tard, elle me téléphona pour m'annoncer qu'un liquide séreux venait de s'écouler de son... oreille!

Ce succès draina vers moi une certaine clientèle francophone, plus intéressée par un examen «devinette» que par un traitement auriculaire, et l'on prenait un sympathique plaisir à jouer ensem-ble à «trouve-le tout seul!». La partie consistait à s'allonger sans mot dire sur la table d'auscultation en attendant mes conclusions. Je me prêtai volontiers à ce «jeu des découvertes» qui me donnait l'occasion d'affiner les qualités de mon approche diagnostique.

Observation n° 11

Ce jour-là, une jeune femme se présenta à la consultation pour un bilan de ce type... et aussi, pour un problème de constipation. Bien entendu, je passai en revue les différents anneaux-tests que j'avais sélectionnés. Deux d'entre eux provoquèrent une nette réaction du R.A.C.: «nez» et «épaule». Avec suffisance et contentement, je débitai naïvement et fièrement les conclusions de mon pertinent examen. Pourtant, à ma grande stupéfaction, elle m'annonça qu'elle n'avait jamais ressenti de problèmes ni à l'épaule ni au nez! N'ayant jamais été confronté à pareil démenti, je repris mon examen en l'élargissant et en l'approfondissant, pour à nouveau sélectionner les mêmes anneaux-tests. Néanmoins, cette fois-ci, je pris la peine d'analyser leurs correspondances auriculaires qui ne répondirent pas au rouge 25 de l'auriculaire mais au bleu 44 du pouce...!

Que signifiait cette modification du rayon coloré?

Pour le Dr Nogier, il existe, au niveau du pavillon auriculaire, plusieurs cartographies superposées, qui peuvent être détectées par la projection d'une couleur déterminée:

– Le rouge 25 détermine la cartographie classique de l'embryon, encore appelée phase I.
– Le vert 58 repère la phase II et exprimerait «la nature du tissu nerveux».
– Quant au bleu 44, il permet de cerner la phase III, qui exprimerait «la nature du tissu moyen».

Bien que les points auriculaires répondirent au bleu 44, je ne pouvais tout de même pas lui annoncer sérieusement: «Aimable demoiselle, vous souffrez d'un problème nasal du tissu moyen», et cela d'autant plus que je ne sais pas à quoi correspond corporellement et physiologiquement la structure du tissu moyen! L'échec me suffisait amplement pour affronter le ridicule. Je me contentai donc d'avouer mon ignorance et mon incompréhension en restant tiraillé par deux données inconciliables: d'une part une impossible réponse mensongère du R.A.C., précis et clair, et d'autre part l'erreur évidente, tout aussi claire et précise...! Il me fallait bien reconnaître l'inexactitude de mes déductions, même si je restais convaincu du bien-fondé de ma détection, mais je ne savais comment concilier ces deux données apparemment incompatibles?

Je me mis à réfléchir en recherchant dans toutes les directions possibles. J'appris ainsi que l'approche symbolique attribue à l'épaule «la force de réalisation». Et sachant que la figure du nez possédait une connotation symbolique sexuelle, le rebus prit aussitôt un sens:

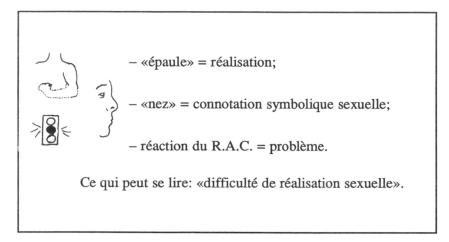

FIGURE 30
UNE AUTRE APPROCHE

Cependant, pour comprendre clairement le sens de ce décryptage – qui peut apparaître encore quelque peu sibyllin – il faut verser à ce dossier une pièce manquante: en effet, à plusieurs reprises, j'avais pu constater les ravages provoqués par les pressions sociales exercées sur les jeunes filles célibataires, au sein d'une société israélienne insistant fortement sur le mariage précoce. Quand à 22 ans on est presque considérée comme une vieille fille, on peut comprendre qu'à 30 ans, le célibat puisse être vécu de façon dramatique... Or, cette jeune femme n'était pas encore mariée, et j'avoue que face à cette belle fille, de saine apparence et à la belle réussite sociale, l'existence d'une telle problématique ne m'avait pas sauté aux yeux. Néanmoins, lors de la consultation suivante, en abordant avec elle ce sujet que j'orientai subtilement sur cet aspect sociologique, je m'aperçus qu'il existait bel et bien un sentiment de frustration et de révolte.

Quoique suffisamment compensé et sublimé, ce pénible vécu s'était tout de même exprimé, mais au strict niveau symbolique...! Par sa possible expression au seul plan symbolique, cette observation exceptionnelle fut pour moi une véritable aubaine qui n'est pas sans rappeler la capacité du «yogi» à se situer à un niveau artificiel lui permettant de déconnecter, de cette façon, plusieurs états normalement intimement imbriqués comme le sont les mouvements du cœur. Cet heureux dénouement ne résolut pas pour autant toutes les questions soulevées par cette observation, car je voulais savoir par quelle faille une telle apparente erreur avait pu s'insinuer?

Les difficultés éprouvées dans la conception de cette hypothèse tenaient au fait d'avoir raisonné selon les théories classiques de l'auriculo-médecine mais en n'utilisant plus les fondements mêmes de son raisonnement, soit les anneaux-tests constitués principalement par des extraits organiques. Or, depuis quelque temps, je n'utilisais que des tests de ma conception, pensant seulement qu'ils étaient plus efficaces que les anciens anneaux-tests[1].

Je n'avais même pas envisagé qu'ils puissent, du fait même de leur mode de constitution, s'exprimer indifféremment à des niveaux aussi différents que ceux de l'organique et du symbolique, et ce sans imposition préalable d'une quelconque phase I, II ou III[2].

---

1. Ainsi, si le test «foie» (constitué d'extrait hépatique) déclenche quelques réactions du R.A.C., mon propre test «foie» (utilisant plutôt une méthode analogique) peut quant à lui provoquer davantage de modifications, augmentant ainsi la sensibilité des réactions provoquées, ce qui permet de repérer certains points faibles qui seraient autrement passés inaperçus.

2. Selon les principes de l'auriculo-médecine, le test «foie» classique, pris précédemment pour exemple, ne peut, sans l'imposition préalable d'une phase donnée, révéler que des perturbations **organiques** du foie.
   Pour comprendre ce procédé, il faut toujours avoir à l'esprit que le système auriculaire peut être comparé à un ordinateur dont le terminal serait représenté par le pavillon auriculaire, le clavier par le système des anneaux-tests, et le langage par le type de réponse du R.A.C. Ainsi, imposer un anneau-test déterminé revient à effacer tout ce qui a été précédemment inscrit sur l'écran (c'est-à-dire le pavillon), puis à écrire le nouveau message imposé. Par contre, sur ce cas exceptionnel, je venais d'établir que mon test «foie» pouvait directement détecter des perturbations liées aussi bien à l'organique qu'au psycho-symbolique.

Cette compréhension de la fonction du rayonnement du pouce, en tant que détecteur d'une projection auriculaire psycho-symbolique (en admettant que la vie psychique fonctionne à partir et avec la mise en place de représentations essentiellement symboliques), explique pourquoi les filtres -épaule- et -nez- avaient inscrit, sur le pavillon de cette jeune femme des points qui répondaient, non au rouge 25, mais au bleu 44.

Cette découverte permet également de comprendre pourquoi, dans ce jardin, j'avais alors passé alternativement le pouce puis l'auriculaire au-dessus du cœur du pédiatre; car connaissant la signification du rayonnement de ces deux doigts, il m'était relativement facile de différencier une atteinte organique réelle d'un simple stress!

Ainsi, l'utilisation du couple antagoniste auriculaire/pouce amorçait la mise en service de ce que j'appelais pompeusement le «mini-scanner portatif», dont le passage rapide sur l'oreille révèle instantanément, précisément et gratuitement non seulement la position, mais aussi la nature de l'atteinte psycho-symbolique ou organique.

Cet appareil hyperperfectionné n'est autre que notre main, qui utilise non pas l'énorme infrastructure informatique, technologique et financière nécessaire à l'emploi du vrai scanner (ou du plus performant R.M.C.), mais seulement les capacités de cette nouvelle entité énergétique qui a le pouvoir de scruter le corps en une fraction de seconde pour l'analyser et retransmettre instantanément ses conclusions par l'intermédiaire du R.A.C.! Redécouvrons notre main, qui se révèle d'une précieuse aide diagnostique, voire même thérapeutique[1], et qui présente l'énorme avantage d'être à la disposition immédiate et permanente de tout médecin, d'être en outre facilement transportable, et de ne nécessiter aucun entretien, aucun investissement...

---

1. Les importantes possibilités thérapeutiques du rayonnement des doigts seront décrites ultérieurement.

Sachons redécouvrir les inappréciables potentialités de notre corps, sans toujours devoir être assistés par une technologie que nous avons nous-mêmes inventée et qui a fini par nous convaincre de notre incapacité à la surpasser.

Le mythe du Golem préfigurait une bien triste réalité!

Redécouvrir une dimension humaine, ignorée de l'homme lui-même, tel est le thème central de ce livre. C'est une dimension fabuleuse, à en faire pâlir d'envie le plus perfectionné des appareils modernes. Une dimension qui non seulement ouvre l'homme aux ressources de son propre corps, mais encore l'homme à l'Homme, l'homme à sa réelle situation dans le monde environnant.

Ce sont des dimensions que nous souhaitons aborder, par le biais d'une approche interdisciplinaire caractérisée par deux ensembles de données qui signeront l'originalité de ce livre: d'une part l'obtention de résultats cliniques inédits et incontestables car immédiatement objectivables, et d'autre part l'harmonie et la cohérence qui découlent de l'approche de cette nouvelle dimension.

En effet, si au départ notre démarche fut essentiellement médicale, au fur et à mesure de notre avancée, celle-ci rencontra spontanément – comme des aimants qui s'attirent irrésistiblement – d'autres recoupements d'obédiences différentes (symboliques, mythiques, philosophiques, graphologiques, anthropologiques, culturelles, etc.), qui, loin de se contredire, ne firent que confirmer la cohérence de nos hypothèses initiales.

C'est dans cette optique que nous rapporterons plusieurs éléments de connaissances non médicales mais qui semblent converger dans le même sens structurel que nos découvertes.

C'est ainsi qu'après avoir mis à jour le rôle des rayonnements de l'auriculaire et du pouce, je pris conscience de l'existence d'un rapport avec leurs positions dans l'architecture de la main ainsi qu'avec le type de couleurs qui les caractérise. En premier lieu, l'opposition du pouce[1] et des autres doigts n'évoque-t-elle pas le symbolisme de l'esprit opposé au matériel symbolisé par la fonction organique du petit doigt? Et tout en étant inclus dans un ensemble harmonieux et indivisible représenté par la main, le pouce ne confère-t-il pas par ailleurs aux autres doigts de la main leur puissance de prise, tout comme l'esprit permet à la matière de s'exprimer, et réciproquement comme l'esprit trouve dans la matière un lieu d'expression?

Quant aux couleurs de ces doigts, ne reflètent-elles pas leurs significations au point de laisser croire que nous avons inversé notre démarche en les prenant comme point de départ?

Le rouge ne suggère-t-il pas le sang, la matière qu'il vivifie, la couleur du feu, la force brutale, la puissance destructrice?

Le bleu, par contre, ne renvoie-t-il pas à la plus profonde, à la plus immatérielle, à la plus pure des couleurs? «Immatériel en lui-même, poursuit R. Chevallier[2], le bleu dématérialise tout ce qui se prend à lui, il est le chemin de l'infini où le réel se transforme en imaginaire. Le bleu est le chemin de la rêverie et la pensée consciente y laisse peu à peu la place à l'inconsciente...»

Troublante cohérence...! Et cela le sera encore plus lorsque nous dévoilerons toutes les analogies existantes entre les significations énergétiques de tous les doigts et le symbolisme de leur architecture, de leur couleur... voire même de leur linguistique...!

5) L'ALLIANCE DE L'ANNULAIRE

Ainsi l'auriculaire «projette» un rayon rouge 25 détectant les problèmes **organiques**, et le pouce un rayon bleu 44 révélant les blocages **psychiques**. Quant à la signification du rayon vert 58 de l'annulaire, aucune hypothèse ne m'avait été suggérée par la

---

1. Spécifique à l'humain.
2. R. Chevallier, *Dictionnaire des symboles,* Éditions Robert Laffont.

pratique clinique, et moins encore par la dénomination attribuée au vert 58 de la phase II par le Dr Nogier en tant «qu'expression du tissu nerveux».

L'ébauche d'une piste prit forme à la relecture d'un texte du *bahir* qui ne dévoila son entière signification qu'après la découverte de la fonction du rayonnement du pouce.

Ainsi se lit le passage 80 du *Livre de la clarté*.

«Le nom de toute chose introduite par le Saint, béni soit-il, dans son monde, il l'a tiré du contenu de celui-ci, ainsi qu'il est écrit dans la *Genèse*: "et toute espèce animée aura son nom, tel que l'homme l'aura appelé". C'est-à-dire, le nom sera tel que la nature véritable et selon la substance de ce qu'il désigne».

À partir de ce verset biblique, le *Bahir* développe un enseignement classique de la pensée juive qui soutient que le nom de toute chose traduit l'essence même de l'objet ainsi désigné. Toutefois, l'apport original du *Bahir* consiste non seulement à décortiquer le nom analysé en attribuant un sens à chaque consonne qui le compose[1], mais encore à prendre pour exemple un mot qui nous intéresse en premier chef, soit le mot **oreille**, qui se dit OZéN en hébreu; ce mot se compose de trois lettres (ALÈPH; ZaïN; NouN).

Ce texte a de quoi surprendre, tant par l'originalité de son enseignement que par le choix tout à fait inattendu de l'exemple choisi, l'oreille, dont le thème est particulièrement négligé par la tradition juive.

Voici l'interprétation donnée à chaque lettre par le *Bahir*:

Quelle est la fonction de la première lettre ALÈPH du mot OZéN? ALÈPH est à l'image du cerveau et de la pensée. (*Bahir*, 70).

---

1. Alors qu'habituellement, la tradition rabbinique interprète le sens intrinsèque d'un mot selon sa signification phonétique ou structurelle, mais globalement ou perçu comme acrostiche.

Quelle est la fonction de la seconde lettre ZaïN? Elle se trouve placée ici pour t'enseigner que de même que l'oreille est dotée d'une sagesse illimitée, de même, chacun des membres du corps possède sa propre puissance. (*Bahir,* 80).

Pour comprendre l'origine de cette interprétation, il faut savoir que la valeur numérique de la lettre ZaïN correspond à sept, et que d'autre part le *Bahir* subdivise le corps humain en sept parties (plus symboliques qu'anatomo-physiologiques): «La tête, le tronc, les deux mains, les deux jambes, ainsi que les organes sexuels de l'homme et de la femme qui ne font qu'un ensemble.»

Le texte poursuit: Que signifie le NouN?

«Il t'enseigne que le cerveau constitue l'essentiel de la colonne vertébrale et que c'est d'elle qu'il tire constamment sa substance. Sans la colonne, le cerveau n'aurait pu subsister, car le corps entier ne fonctionne que pour le cerveau. Voilà pourquoi la colonne vertébrale se déverse du cerveau dans le corps entier[1]» (*Bahir,* 83.)

De plus, l'insistance insolite du *Bahir* à propos d'une donnée grammaticale aussi élémentaire que la composition ternaire du radical de tout mot hébreu me renvoya à la structure ternaire également retrouvée à plusieurs reprises en auriculo-médecine, et ceci d'autant plus que le *Bahir* s'appesantit spécialement sur le mot «oreille».

En effet, les enseignements du Dr Nogier décrivent l'existence, sur le revêtement cutané du pavillon auriculaire, de trois niveaux réactionnels appelés tissu profond, tissu moyen et tissu

---

1. Suite du *Bahir,* 83: «C'est ce que signifie le NouN courbé. Mais le NouN dans OZéN (oreille) est un NouN allongé? Le NouN allongé se trouve toujours à la fin du mot, ceci pour t'enseigner que le NouN allongé englobe le NouN courbé et le NouN allongé; cependant, le NouN courbé est le fondamental.»
Aussi, pour ne pas compliquer l'exposé, nous écrirons, en accord avec le *Bahir,* le NouN final du mot OZéN (oreille) comme si c'était un NouN courbé.

superficiel. Cette division ne correspond pas aux conclusions de l'observation cytologique qui distingue trois couches différentes (derme, hypoderme et épiderme), mais découle de l'obtention de réactions différentes observées après avoir exercé diverses pressions (1 g; 70 g; 150 g) sur le pavillon auriculaire.

Le Dr Nogier détermina également une subdivision territoriale de la surface pavillonnaire en trois zones, correspondant cette fois aux trois couches embryologiques: mésoderme, endoderme et ectoderme.

Et en ce qui concerne les trois couleurs qui nous préoccupent, le Dr Nogier affirme l'existence de trois cartographies distinctes qui se projettent, à l'exemple de la cartographie de l'embryon, sur le pavillon auriculaire; celles-ci sont appelées les phases I, II et III, et sont détectées par les mêmes couleurs (rouge 25, bleu 44 et vert 58) que celles projetées par l'auriculaire, le pouce et l'annulaire.

Dans ces conditions, il devenait tentant d'établir des correspondances entre les interprétations des trois lettres du mot OZéN (oreille) et des trois rayons énergétiques, et cela d'autant plus que les explications proposées par le *Bahir* suggèrent un rapprochement avec les couleurs déjà déterminées.

Ainsi, la lettre ZaïN (7), de valeur numérique sept comme les sept parties du corps dénombrées par le *Bahir,* renvoie à la partition du corps et du pavillon auriculaire aussi en sept zones fréquentielles et colorées. Dès lors, un rapprochement possible se dessine entre d'une part les suggestions du *Bahir* sur la 7e lettre ZaïN, et d'autre part le rayonnement auriculaire qui détecte les problèmes physiques.

ZaïN = 7 = 7 parties du corps = 7 zones fréquentielles et colorées = représentation **physique** (φ) = «rayonnement» rouge de l'auriculaire.

Quant à la lettre ALÈPH, elle est mise en rapport avec le cerveau et la pensée. Dès lors, une possible correspondance apparaît entre la cartographie **psychique** du pouce et la lettre ALèPH, qui renvoie également à la pensée et donc au psychisme siégeant dans le cerveau.

> ALÈPH (א) = pensée-cerveau = psychisme = Phase **psychique** (Ψ) = «rayonnement» bleu du pouce.

Cependant, malgré ce contexte de synthèse et de réconciliation, mon élan s'arrêta là, car je ne pouvais aller plus loin dans la détermination du troisième constituant de ce qui apparaît être un ensemble ternaire.

Pourtant, ce double rapprochement inattendu me surprit au point de me demander si ces correspondances devaient être imputées au seul hasard ou à mon imagination. Mais si vraiment celles-ci possédaient quelque valeur, alors peut-être que l'enseignement du *Bahir* sur la lettre NouN pourrait apporter une réponse à mon interrogation, ou tout au moins la suggestion d'une hypothèse.

Or, dans ces textes, le *Bahir* compare le NouN à la colonne vertébrale qui relie, d'après lui, le cerveau au corps; ce qui revient, en d'autres termes, à attribuer au NouN un rôle de médiateur entre le ALÈPH/cerveau et le ZaïN/corps. En poussant plus loin cette comparaison, il est même possible d'entrevoir dans le graphisme du NouN courbé la subdivision anatomo-fonctionnelle de la colonne vertébrale de l'homme en position assise, tête penchée en avant et dans le NouN allongé les courbures dessinées par la colonne vertébrale de l'homme en position debout.

NouN courbé
L'homme assis

NouN allongé
L'homme debout

Vertèbres CERVICALES
(tête penchée en avant)

                                Vertèbres DORSALES
                                (maintien du dos droit)

Vertèbres LOMBAIRES et SACRÉES
(favorisent l'assise)

FIGURE 31
NOUN ET LA COLONNE VERTÉBRALE

De plus, la forme du NouN évoque la forme imagée d'une agrafe; ce qui nous permettra de représenter schématiquement l'énoncé du *Bahir,* et à la suite notre hypothèse:

Dans cette perspective, n'est-il pas possible de supposer que le NouN évoquerait l'existence d'une cartographie intermédiaire entre le cartographie **psychique** (Ψ) et la cartographie **physique**(φ)? Ce moyen terme nous l'appellerons temporairement **psychosomatique** (Ψ/φ).

$$\begin{array}{l} \Psi \\ \varphi \end{array} \Big] \quad \Psi/\varphi \quad = \quad \begin{array}{l} \text{psychique} \\ \text{organique} \end{array} \Big] \quad \begin{array}{l} \text{«psychoso-} \\ \text{matique?»} \end{array}$$

Et si notre construction s'avérait exacte, cette nouvelle carto-graphie NouN/**psychosomatique** devrait alors être détectée par le rayon vert 58 de l'annulaire!

$$\begin{array}{l} \aleph \\ \mathrm{T} \end{array} \Big] = \begin{array}{l} \text{bleu} \\ \text{rouge} \end{array} \Big] \text{ vert? } = \begin{array}{l} \text{psyché} \\ \text{corps} \end{array} \Big] \begin{array}{l} \text{psychoso-} \\ \text{matique?} \end{array}$$

Il ne me restait plus qu'à vérifier cette hypothèse. J'imposai les filtres **psychiques** (Ψ) et **physique** (φ), que j'avais entre-temps mis au point, ainsi que le filtre **psychosomatique** (Ψ/φ) constitué de la superposition des deux précédents. Puis je passai un filtre donné – disons, par exemple, le filtre «foie» – au-dessus du pavillon auriculaire à la recherche des points ainsi révélés[1].

Par ce procédé, je repère les différents points et je m'étonne alors de leur mode d'inscription linéaire ainsi que de leur dispo-sition sur l'oreille: psychique, physique puis psychosomatique.

$$\overset{\cdot}{\Psi} \qquad \overset{\cdot}{\varphi} \qquad \Psi/\varphi$$

---

1. Mais cette fois-ci, physiologiquement, pourrait-on dire, c'est-à-dire en dehors de toute pathologie.

En effet, cette disposition me surprit, car à l'image du trait d'union reliant la psyché au soma, je me serais attendu à trouver le point «psychosomatique» entre le point psychique et le point physique, comme l'aurait laissé supposer le point résultant de la conjonction de deux éléments. Or, ce point réalise un troisième terme indépendant qui ne s'inscrit pas entre les deux géniteurs, mais à leur suite.

Un autre élément d'importance me confirma que le point «psychosomatique» ainsi obtenu ne résulte pas d'une simple construction artificielle; en effet, ce point n'est détecté ni par le rouge 25, ni par le bleu 44, ni par leur superposition, mais par le vert 58, par le rayonnement de l'annulaire qui peut, dès lors, être mis en rapport avec une représentation «psychosomatique.»

Toutefois, cette disposition soulève une question: que signifie la place particulière du point «psychosomatique» qui s'inscrit à la suite des points psychique et physique, tout comme par ailleurs le NouN du Mot OZéN se situe en fin de mot?

Ce fut la philosophie du Maharal de Prague, remarquablement exposée par le Pr Neher[1] dans son livre *Les puits de l'exil* (Éditions Cerf), qui me permit d'entrevoir quelques éléments de réponse:

> «L'une des démarches favorites du Maharal de Prague consiste à concevoir le monde dans une structure ternaire. On chercherait vainement «le milieu» à la place seconde ou au moment second que lui assigne une lecture rectiligne et déjà déchiffrée des choses [...] À l'inverse d'une conception statique, qui aligne les points 1, 2 et 3 sur une ligne droite et qui assigne au point 2, la situation moyenne, intermédiaire, centrale, il faut attribuer le terme moyen au 3 puisque c'est lui seul, qui dans l'attente du 1 et du 2, les récupère ensuite, les domine et

---

1. Que je voudrais vivement remercier, à titre posthume, pour l'intérêt particulier qu'il porta à ce travail, ainsi que pour les encouragements qu'il me prodigua quelque temps avant sa mort.

les synthétise, puisqu'il est le tout: 1+2=3. À l'arithmétique du tiers moyen, répond la géométrie de la médiatrice ou de la bissectrice, qui ne peut apparaître qu'après les deux côtés de l'angle, et se situe en leur milieu.»

La clarté de cet exposé permet de saisir à partir d'un point de vue philosophique pourquoi le «psychosomatique», tiers moyen entre psyché et soma, ne peut en fait se concevoir qu'après avoir positionné ces deux données principales, et pourquoi le NouN du mot OZéN ne peut s'écrire qu'après avoir positionné le ALÈPH et le ZaïN, car, pour le Maharal:

«Le milieu, l'intermédiaire est aussi centre, point d'organisation, d'unification, de perfection d'une chose. Comme l'aimant constitue le point central autour duquel les limailles disséminées au hasard s'organisent soudain, comme le centre du cercle unifie les rayons et les arcs et confère à l'ensemble des proportions concordantes, comme le centre d'une pensée permet d'en découvrir toutes les dimensions et d'en mesurer l'achèvement, ainsi le milieu (représenté par le troisième terme) organise, unit, achève. Il est concordance des lignes vers un sens, association des multiples dans l'un, la perfection et l'achèvement.»

En fait, cette situation du point psychosomatique n'est particulière qu'à l'oreille puisque dans l'architecture de la main ainsi que dans l'approche symbolique des couleurs, l'annulaire se trouve situé **entre**[1] le pouce et l'auriculaire, et le vert **entre** le rouge et le bleu. Pour tenter de comprendre cette divergence, revenons sur quelques notions du symbolisme.

«Le vert, affirme J. Chevallier, est une couleur rassurante, rafraîchissante. Et lors de chaque printemps, après que l'hiver ait convaincu l'homme de sa solitude et de sa précarité en dénudant et en glaçant la terre qui le porte, celle-ci se revêt d'un nouveau manteau vert qui

---

1. Pas exactement **entre**; nous expliquerons ce décalage au chapitre suivant.

ramène l'espérance, en même temps que la terre rede-
vient nourricière.

   »Équidistante du bleu céleste [pouce dans notre cas]
   et du rouge infernal [auriculaire], tous deux absolus et
   inaccessibles, surgit le vert, valeur moyenne, médiatrice
   entre le chaud et le froid, entre le haut et le bas.»

Cette disposition intermédiaire se retrouve également dans
l'organisation des doigts de la main; si l'opposition du pouce et
de l'auriculaire évoque effectivement le conflit entre matière et
esprit, entre psychisme et physique, et si le pouce confère bien
aux autres doigts leur puissance de prise, tout comme l'esprit
trouve dans la matière un possible lieu d'expression matérielle,
alors l'annulaire apparaît comme une passerelle jetée entre cer-
veau/ pensée et corps physique: n'est-il pas situé entre le pouce
et l'auriculaire? Est-ce un pur hasard si au moment de l'union
officialisée entre deux êtres humains aussi différents que le sont
pouce et auriculaire, l'anneau qui scelle la nouvelle alliance est
placé précisément sur l'annulaire ou est-ce le résultat d'une intuition profonde, collective et inconsciente du rôle symbolique
d'union, d'alliance des opposés dévolu à l'annulaire?

   Face à ce bel agencement trinitaire du pouce, de l'auriculaire
et de l'annulaire, on se prend à regretter l'existence du majeur et
de l'index qui gâchent, par leur présence, ces constructions théoriques si péniblement établies.

   Toutefois, fermer les yeux sur ces deux appendices digitaux
reviendrait à nier la réalité pour préserver la validité de nos
théories, peut-être imaginaires. Naturellement, tout aurait été
pour le mieux dans le meilleur des mondes si notre auguste main
ne possédait que trois doigts, et si l'annulaire occupait la place
médiane du majeur...! Mais tel n'est pas le cas, et il me fallait,
soit tout rejeter en bloc, soit poursuivre mes investigations en vue
de découvrir les significations diagnostiques et symboliques
(quant à la couleur et à l'architecture) propres au rayonnement du
majeur et de l'index.

   Pour ce faire, il nous faudra auparavant exposer certaines
données.

Chapitre 6

LE GÊNEUR

1) UN «REMÈDE DE BONNE FEMME»

Pour guérir une brûlure, on connaît un «remède de bonne femme» qui consiste à appliquer simplement la partie brûlée sur le lobe de l'oreille... Cette méthode, surprenante à bien des égards, prouve cependant son irréfutable efficacité lors de sa mise en pratique, et du fait de la relative fréquence de ce genre d'accident, elle s'avère dès lors facilement vérifiable. Pour ma part, l'expérience la plus probante à cet égard eut lieu le jour où par mégarde je me renversai de l'eau bouillante sur le dos de la main, qui devint aussitôt écarlate. Sachant que les pommades habituellement utilisées ne peuvent enrayer l'évolution inéluctable vers l'apparition des phlyctènes, je me dis que l'occasion était tout au moins propice pour tester cette méthode sur une aussi large et profonde brûlure, quitte, en cas d'échec, à me rabattre sur les prescriptions habituelles.

Ce faisant, j'appliquai immédiatement la zone brûlée sur le lobe de l'oreille, et au bout de quelques minutes, devant des amis qui attendaient avec scepticisme le résultat de cette manœuvre, la peau retrouva pratiquement sa couleur normale, comme si rien ne s'était passé...! Or, il s'était bel et bien passé quelque chose... et faute d'éléments suffisants pour expliquer ces résultats surprenants, il m'était impossible de justifier rationnellement ce qui apparaissait comme une «passe magique».

La compréhension de ce phénomène demeura longtemps pour moi une énigme, jusqu'au jour où un autre voisin vint frapper à ma porte en se plaignant d'une tendinite qui l'empêchait d'effectuer même les mouvements les plus simples. Me trouvant à mon domicile – et donc sans matériel punctural – je ne pouvais rien faire pour le soulager, sinon tenter une évaluation diagnostique avec les moyens du bord, en l'occurrence avec mes mains. De la gauche, je me saisis de son pouls radial, tandis que de la droite je repérai précisément la zone atteinte, en passant successivement les différents doigts au-dessus de l'avant-bras. Pour assurer mon diagnostic, et par curiosité, je voulus connaître le point auriculaire qui ne manquerait pas d'apparaître.

Pendant que j'effectuais mes gesticulations, quelle ne fut pas ma surprise d'entendre mon voisin s'émerveiller d'une «aussi belle médecine» qui avait fait disparaître, instantanément et sans intervention extérieure, une douleur qui le handicapait tellement depuis plusieurs semaines!

Aussi stupéfié que lui, je ne pus qu'alléguer n'avoir effectué aucun acte thérapeutique conscient! Et pourtant, la douleur avait bel et bien disparu, même si ce n'était qu'un court instant, et il me fallait bien admettre qu'il venait de se passer **quelque chose**!

Cette amélioration inattendue m'étonna suffisamment pour m'inciter à réfléchir sur ce cas et à le rapprocher d'une autre guérison énigmatique, celle des brûlures, puisque dans les deux cas une reconnexion[1] avait suffi à provoquer une guérison, définitive dans le cas de la brûlure, et temporaire pour la tendinite.

À la suite de cette «guérison de sorcier», je tentai, en procédant de la même façon, de provoquer à nouveau pareil résultat afin de m'assurer qu'il ne s'agissait pas d'un simple hasard. Pour ce faire, je repérai chez des patients se plaignant de douleurs, des points périphériques[2], au moyen du seul passage digital, puis je ramenai ce même doigt sur le pavillon auriculaire à la recherche d'un point central correspondant. Malheureusement, aucun résultat – même temporaire – ne s'ensuivit[3]. Par contre, au fur et à mesure de mes essais, je m'étonnai non seulement de retrouver systématiquement un point central pour tout point périphérique, mais en outre de constater que ces correspondances auriculaires diffèrent nettement de celles que l'on retrouve habituellement dans de pareils cas. Tout se passait comme si je «ramenais» ces points périphériques à l'oreille...! Tout se passait comme si je «prélevais» ces points périphériques pour les «projeter» sur le pavillon auriculaire...! Il me fallait vérifier cette impression. Aussi, dans un premier temps, je dénombrai et positionnai les points qui apparaissaient spontanément sur l'oreille, puis dans un second temps, je les comparai avec ceux qu'il me semblait avoir «ramenés». Je constatai alors que les points périphériques «ramenés» à l'oreille se distinguaient non seulement de ceux trouvés initialement, mais encore qu'ils étaient plus nombreux. J'en déduisis que les nouveaux points provenaient bien de la périphérie puisqu'ils ne s'inscrivaient sur l'oreille que par l'intermédiaire de ce procédé.

Cette constatation aurait déjà été stupéfiante en soi, mais, en outre, ce mécanisme énergétique de «prélèvement-périphérie/

---

1. Reconnexion directe (main/oreille) dans le cas de la brûlure, et par l'intermédiaire du doigt passé successivement entre l'avant-bras et l'oreille dans le cas de la tendinite.

2. Par opposition à l'oreille considérée comme centrale.

3. Si ce n'est sur d'autres cas survenus après avoir écrit ces lignes.

projection-centrale» semblait être doué d'un savoir propre nettement supérieur au nôtre et d'une efficacité des plus probantes,
puisque non seulement l'opération «prélèvement/projection»
s'effectuait en une fraction de seconde, mais qu'en outre il me
fallait reconnaître ma totale méconnaissance des points auriculaires révélés par cette «projection»...! Tout se passait comme si
pendant le court instant qui sépare le passage de la périphérie au
centre, **«quelque chose»** intervenait pour analyser quantitative-
ment et qualitativement le point périphérique détecté et pour
m'indiquer précisément sa localisation auriculaire. Tout se passait comme s'il existait une sorte d'ordinateur hyperperfectionné
qui analysait, en l'espace d'une fraction de seconde, la signification diagnostique d'un point ainsi que sa correspondance auriculaire, et ceci à l'insu de toute intervention consciente de ma part
et en totale ignorance des points calculés dont j'ignorais littéralement la localisation et la signification thérapeutique. L'intervention d'un agent extérieur ne pouvait plus faire aucun doute!
Mais, qu'était ce **«quelque chose»** dont la connaissance, la rapidité et la puissance d'analyse dépassaient très nettement les nôtres, et le faisaient comparer à une mémoire d'ordinateur que
nous n'avions pas programmée? La piste la plus probable menait
au corps énergétique. Ce **«quelque chose»** n'existait-il pas
en nous? Et surtout, n'intervenait-il pas par l'intermédiaire du
rayonnement énergétique des doigts?

Le portrait de l'inconnu se dessinait peu à peu et laissait
apparaître une entité indépendante, individualisée, douée de
capacités analytiques comme d'un savoir et de possibilités incroyables...!

Ainsi, non seulement l'entité énergétique ne pouvait plus être
considérée comme une simple émanation qui entourait notre
corps à la manière d'un radar protecteur, mais elle apparaissait
désormais comme un voisin, copropriétaire à part entière mais
dont nous ignorions même jusqu'à l'existence!

2) LA BRÈCHE ÉNERGÉTIQUE

La responsabilité du corps énergétique allait encore se préciser, au point de nous permettre de comprendre le mécanisme de guérison de la brûlure ainsi que celui de la tendinite du voisin.

En effet, plusieurs données nous confortent dans cette opinion:

– La connaissance de cette entité nous a conduit à lui attribuer des propriétés essentiellement bénéfiques envers le corps physique qu'elle entoure complètement à la manière d'un cocon protecteur (voir «Combat énergétique» avec le yogi et «**Tohou** et **Bohou**»).

– L'analogie avec le «système radar» nous a permis de définir ses capacités détectrices face à toute intrusion qu'elle reconnaît, analyse, et dont elle transmet l'information par l'intermédiaire du type de R.A.C. émis (nombre et qualité des pulsations).

– En outre, les propriétés de «détection/prélèvement/projection» du rayonnement des doigts s'avèrent d'une aide inestimable dans l'investigation diagnostique. En effet, celles-ci nous permettent de déterminer et d'analyser extrêmement rapidement, précisément et efficacement, les points pathologiques dont nous ignorons l'existence, et ce en vue d'une intervention thérapeutique encore plus efficace et rapide. Tous ces éléments nous conduisent à établir une possible comparaison entre le cocon énergétique et un tablier protecteur qui entourerait le corps à la manière d'une armure défensive.

De ces données émerge une hypothèse relativement simple qui présente l'avantage d'expliquer pourquoi ce simple «remède de bonne femme» peut être si efficace, tout en suggérant une explication supplémentaire quant au développement des processus morbides dans le corps.

Car, en admettant que la «bulle» énergétique puisse être comparée à un cocon protecteur, il est alors possible de supposer que la maladie pénétrerait dans le corps à la faveur de l'apparition d'une brèche qui se serait créée dans les murailles de la «bulle» énergétique et qui l'empêcherait ainsi de jouer son rôle protecteur. Et ce serait par cette porte d'entrée non protégée que les énergies **Tohou** s'engouffreraient toujours plus, au point de provoquer de véritables décollements énergétiques qui rejetteraient ainsi au loin les énergies **Bohou** protectrices (voir figure 32).

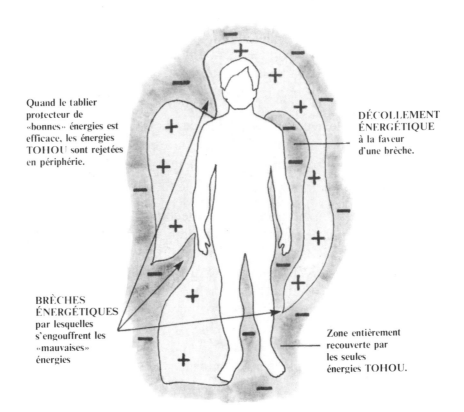

Quand le tablier protecteur de «bonnes» énergies est efficace, les énergies TOHOU sont rejetées en périphérie.

DÉCOLLEMENT ÉNERGÉTIQUE à la faveur d'une brèche.

BRÈCHES ÉNERGÉTIQUES par lesquelles s'engouffrent les «mauvaises» énergies

Zone entièrement recouverte par les seules énergies TOHOU.

FIGURE 32
SCHÉMA DES PROCESSUS PATHOGÈNES MENANT
À L'ENVAHISSEMENT PAR LES FORCES TOHOU

Dans un premier temps, cette hypothèse me permit d'entrevoir une explication des guérisons «pseudo-miraculeuses». En effet, il était possible de supposer que le traumatisme de la brûlure avait provoqué une brusque trouée dans l'homogénéité de la carapace énergétique, dégageant alors une zone corporelle non protégée par le cocon énergétique, et c'est cette nudité soudaine qui avait déterminé une rupture de communication entre l'oreille-tour de contrôle et la périphérie désormais isolée. Dès lors, l'application de la zone brûlée sur l'oreille constituait, **en soi**, la clé thérapeutique responsable de la **reconnexion** (périphérie/centrale) salvatrice, et par là même, du rétablissement de la communication interrompue. Et c'était cette seule correction qui avait permis à l'armure énergétique de retrouver sa continuité protectrice.

Dès lors, la «réparation» effectuée en portant **immédiatement** la brûlure à l'oreille, avant que le processus morbide ne s'inscrive irréversiblement dans la chair, correspondrait à un processus de **colmatage énergétique**, qui met en relief le fait que la barrière énergétique constitue en somme un premier rempart contre les agressions pathogènes.

Cette propriété du halo énergétique permet également de mieux comprendre les différences individuelles vis-à-vis des maladies: chaque personne ne possède-t-elle pas, à chaque instant, un certain état énergétique dont la **particularité** expliquerait également la multitude des types de sensibilité que l'on rencontre? Et l'expérience clinique confirme combien ce paramètre est loin d'être négligeable, tant dans son aspect prophylactique que thérapeutique.

L'hypothèse de la brèche énergétique expliquerait aussi la guérison inattendue de la tendinite. Dans ce cas également, la persistance des douleurs s'expliquerait, entre autres, par la présence d'une brèche énergétique au niveau de l'avant-bras atteint, puisque son seul colmatage (qui se serait effectué par l'intermédiaire du passage successif avant-bras/oreille) avait suffi à provoquer une disparition des douleurs. Toutefois, dans ce cas, la chronicité de la pathologie ainsi que la seule utilisation d'une technique de reconnexion énergétique trop insuffisante pour être durable seraient responsables du retour rapide des algies.

Cette hypothèse permet également d'illustrer le mécanisme d'action des aiguilles; en effet, celles-ci agiraient en quelque sorte à la manière des aiguilles du tailleur pour «recoudre» le vêtement énergétique sur le corps physique duquel il deviendrait à nouveau étroitement solidaire.

La notion de brèche permettrait également d'expliquer le mécanisme d'action du «test-stabilisateur». Celui-ci entraînerait une déconnexion des bulles en présence, parce qu'il forcerait «artificiellement» l'entité énergétique à rester solidairement attachée au corps physique en l'empêchant d'aller voir ce qui se passe ailleurs, minimisant ainsi les phénomènes de «vampirisation» ou de «colonisation». Pourquoi et comment? Cela est une autre histoire...

Après avoir brièvement exposé ces données, il nous sera désormais possible d'entrevoir la signification des rayonnements du majeur et de l'index.

3) L'INDEX RÉPARATEUR

Continuons notre progression en vue de comprendre le rôle primordial du majeur qui trône au milieu de la main à la place de l'annulaire. Mais à cette fin, il nous faudra d'abord découvrir le rôle de l'index.

L'index répond à l'orange 22, et selon l'enseignement du Dr Nogier, la projection de cette couleur sur le pavillon auriculaire détecte des points particuliers appelés «points-réflexes», car par leur intermédiaire, on peut traiter certains points qui ne peuvent l'être directement. L'expérimentation empirique me permit d'élargir cette attribution restreinte de l'index à une **fonction correctrice** plus générale. D'ailleurs l'utilisation symbolique de ce doigt ne nous oriente-t-elle pas vers cette fonction? Ne pointons-nous pas spontanément l'index vers l'avant pour indiquer un sentiment de réprobation? une mise en garde? une accusation? une volonté d'être obéi? un ordre de corriger une attitude répréhensible? De plus, selon la connaissance symbolique, la couleur orange ne renvoie-t-elle pas à un autre type d'équilibre entre l'esprit et la libido, entre le rouge et le bleu, et donc entre le pouce et l'auriculaire?

Cependant, vous objecterez alors que l'on a déjà attribué au rayonnement vert de l'annulaire cette fonction de synthèse entre le pouce et l'annulaire. Dès lors, comment comprendre la présence de cette autre fonction d'équilibre apparemment inutile?

En fait, tout se passe comme s'il existait entre ces frères jumeaux – l'annulaire et l'index –, qui se ressemblent tant, une lutte fratricide pour s'emparer de la position stratégique centrale, alors qu'en fait, c'est un troisième larron (le majeur) qui s'est emparé du trône tant convoité! Le dicton ne dit-il pas justement: «Là où deux s'affrontent, c'est un troisième qui réussit!»

5) LE MAJEUR USURPATEUR

Le majeur répond à la superposition des filtres Kodak rouge 24 et vert 64 dont l'aspect d'ensemble ressemble à celui d'un négatif de pellicule. Et bien que les couleurs de ses prédécesseurs (le rouge de l'auriculaire ainsi que le vert de l'annulaire) se trouvent cumulées dans ce grand doigt, pour autant je n'avais aucune idée quant à la signification de cette projection sombre «nimbant» le majeur.

Toutefois, en cherchant dans les précieux enseignements du Dr Nogier, j'appris que l'on attribuait au rouge 24 la capacité de détecter les zones de blocage interhémisphérique et que le vert 64 possédait le pouvoir de déclencher une réaction particulière au-dessus des zones cancéreuses. Entre ces propriétés bien différentes en apparence, il existe néanmoins un dénominateur commun: celui de repérer une zone de rupture de communication. En effet, le processus cancéreux se caractérise par une absence de liaison entre la tumeur néoplasique et l'ensemble des défenses de l'organisme, état qui permet aux cellules incontrôlées d'évoluer anarchiquement et monstrueusement. De même, dans le cas des zones de blocage interhémisphérique, il y a comme son nom l'indique, une rupture de communication entre les deux hémisphères (d'un point de vue énergétique, il va sans dire; du moins, nous l'espérons!)

Ces propriétés communes de «rupture de communication» renvoyaient naturellement à l'hypothèse de «la brèche énergétique».

Cependant, les rapprochements ne s'arrêtèrent pas là. En effet, n'avions-nous pas également compris le rôle des brèches énergétiques comme un facteur prédisposant à la pénétration des processus morbides? Dès lors, en persévérant dans cette voie, n'était-il pas possible d'émettre une hypothèse concernant la signification du rayonnement du majeur? Sa fonction ne serait-elle pas précisément de détecter des ruptures de communication? De plus, si l'on admettait également que ces ruptures soient à l'origine de l'installation de la maladie dans le corps, *a contrario,* ne serait-il pas possible de supposer que le traitement des points détectés par le majeur puisse suffire à entraîner un colmatage de la carapace énergétique, et par là même une disparition de points-annexes qui se seraient développés à la faveur de ce barrage énergétique?

Dès lors, si cette analogie se confirmait, cela impliquerait que malgré l'absence de traitement direct appliqué sur ces points-annexes, le seul traitement des «points-majeurs» devrait suffire non seulement à dissiper ces mêmes «points-dérivés», mais encore à entraîner une disparition des symptômes.

Je me mis au travail et je pus alors découvrir des éléments importants:

– Contrairement aux autres types de points, il existe **systématiquement** des «points-majeurs» au-dessus des zones pathologiques.

– La correction des seuls «points-majeurs» suffit à faire disparaître plusieurs autres points, appelés pour cette raison «points-dérivés».

Cet ensemble de données permet de supposer que la présence de «points-majeurs» attesterait l'existence d'un terrain propice au développement de la maladie, dont l'origine serait alors effective-ment à mettre en rapport avec une déchirure du tablier énergétique.

L'expérience clinique révéla également un autre élément im-portant, à savoir que le seul traitement de ces «points-majeurs» suffit souvent à entraîner un effet thérapeutique significatif.

Le cas le plus démonstratif fut certainement l'observation suivante, rapportée par un collègue dentiste.

Observation n° 12

«Madame G. me téléphona d'urgence pour des dou-leurs intenses qu'elle supportait depuis plus de trois jours, mais qui étaient maintenant devenues fortes au point de ne plus pouvoir reculer l'échéance de la con-sultation.

»L'examen révéla l'existence d'une carie profonde située au niveau de la molaire droite inférieure qui né-cessitait un traitement canalaire. Après confirmation par un cliché radiographique, je décidai d'intervenir.

»Pour ce faire, je pratiquai donc une anesthésie et j'ouvris la dent pour en extirper le filet nerveux. Cepen-dant, malgré l'administration, en double quantité, du produit anesthésique, la patiente continua à se plaindre d'une sensibilité pénible au niveau du bout des racines qui présentait, par ailleurs, un diamètre d'ouverture anormalement grand, compliquant ainsi le traitement ca-nalaire. Je lui administrai alors un complément d'anes-thésie qui resta sans effet. Préoccupé, je demandai au Dr Kessous, qui travaillait dans le même centre médical que moi, d'essayer de soulager cette malade. Dès la première puncture auriculaire, la patiente cessa de pleu-rer: les douleurs avaient pratiquement disparu, même s'il subsistait toutefois une légère douleur au toucher. Après l'implantation de la deuxième aiguille, cette excitabilité anormale disparut et le traitement put se poursuivre nor-malement.

»La recherche des points auriculaires et la ponction du pavillon de l'oreille n'avaient duré que quelques minutes.»

Or, dans ce cas précis, mon intervention n'avait pas consisté à piquer les classiques points d'avulsion dentaire, mais à repérer, au-dessus de la zone douloureuse, un «point-majeur» que je «prélevai» pour le «projeter» au niveau du pavillon auriculaire. L'entité énergétique m'indiqua alors un point inattendu dont la correction entraîna une disparition immédiate des douleurs et permit à l'anesthésie de faire effet instantanément.

Observation après observation, tout me laissait penser que le rayonnement du majeur détectait effectivement les zones de blocage, de rupture de communication, de faille, confirmant ainsi l'hypothèse de la brèche énergétique et de son corollaire inéluctable: la pénétration du processus morbide dans le corps.

Conformément à notre démarche synthétique qui nous fit découvrir la cohérence entre l'expérimentation clinique, le sens symbolique de la couleur du «rayonnement» ainsi que la place du doigt dans l'architecture de la main, il nous fallait non seulement intégrer la signification clinique du majeur à ses significations symboliques, mais encore résoudre plusieurs autres questions que soulève la présence du majeur à cet endroit précis.

– Pourquoi le majeur a-t-il usurpé la place qui semblait prédestinée à l'annulaire en tant que point d'équilibre apparent entre les deux pôles dichotomiques et antagonistes de l'être, entre le pouce et l'auriculaire?

– Pourquoi le majeur est-il le plus grand de tous les doigts, et pourquoi, de son orgueilleuse place, considère-t-il les autres doigts d'une façon hautaine?

– En quoi cette fonction de «blocage» est-elle si importante, au point de devoir siéger majestueusement au milieu de la main?

– De plus, on peut s'étonner que l'index ressemble à s'y méprendre à l'annulaire, qui se trouve justement situé en symétrie de son frère jumeau par-delà le majeur.

– Et comment même justifier la présence apparemment inutile de l'index?

Certes, la sinistre et lugubre couleur noire sied parfaitement au majeur et renvoie à son rôle de mauvais augure quant à l'issue fatale de la maladie. La couleur noire n'évoque-t-elle pas la pénombre où se trament les complots et les bouleversements? Fonctions qui annoncent, par là même, son futur rôle d'usurpateur, d'imposteur, de conspirateur qui s'impose par la force et les actes déstabilisateurs.

Pourtant, force est de reconnaître que cette place, apparemment usurpée à l'annulaire, lui a été attribuée dans la plus grande légalité par mère nature! Certes, tout aurait été pour le mieux si la main avait été composée seulement de trois doigts et si l'annulaire avait été situé en place médiane, ce qui aurait alors donné une réalisation harmonieuse et un point d'équilibre!

Malheureusement, le majeur apparaît et le noir règne en despote, les blocages s'épanouissent et les maladies n'en finissent plus de proliférer!

Dès lors, face à ces tristes constatations, et à juste titre, on peut s'interroger sur l'intention initiale qui présida à l'attribution de cette place, de cette couleur et de ce rôle de «porte ouverte à la maladie»?

Certes, en assimilant exclusivement le noir aux ténèbres, à la passivité absolue, à l'état de mort et au deuil sans espoir, l'impasse reste totale. Cependant, il existe des régions – comme en Égypte et en Afrique du Nord – où le noir représente le symbole de la fécondité, la couleur de la terre fertile et des nuages gonflés de pluie. Le noir représente également la couleur des eaux profondes qui contient le capital de vie latente, le réservoir de toutes choses. Le noir est l'obscurité gestatrice riche en promesses de vie et prélude à la naissance. Le noir symbolise la nuit précédant le jour; sans le noir, point de blanc; sans la nuit, point de jour; sans nuit embryonnaire, point de naissance!

Ainsi, face à ce noir qui évoque avant tout le chaos, le néant, le ciel nocturne, les ténèbres de la nuit, le mal, l'angoisse, la tristesse et la mort, existe un autre noir qui représente également la terre fertile, le séjour des morts préparant leur renaissance, les fonds abyssaux grouillant de potentialités de vie.

Ces données opposées, comment pouvions-nous les concilier dans la symbolique du majeur?

Certes, la taille du majeur peut apparaître comme une fin en soi, comme un blocage obstruant irrémédiablement toute perspective d'avenir, comme un mur infranchissable qui se dresse devant les vaines tentatives de l'auriculaire et de l'annulaire pour entrevoir l'horizon de l'index en tant que promesse d'une possible réconciliation des contraires.

Cependant, face à cet obstacle apparemment infranchissable, la présence de l'index – en tant que réplique morphologique et symbolique de l'annulaire – de l'autre côté du majeur, en direction du pouce, prouve non seulement qu'il est possible de dépasser ce qui apparaît comme inexorable, mais encore qu'il n'est pas utopique de prétendre à l'actualisation, à la réalisation victorieuse de la synthèse et de l'équilibre entrevus théoriquement dans l'annulaire.

Dès lors, en prenant en considération toutes ces données, la présence du majeur entre les frères jumeaux laisse entrevoir qu'il ne pourrait y avoir de véritable point d'équilibre sans dépassement préalable de l'obstacle du majeur. L'effort inéluctable à effectuer semble retranscrit dans la chair. «Pas d'imagination sans risque d'angoisse; pas de pensée sans tension psychique; pas d'enfantement sans travail et sans douleurs», dira J. Barbier. Le majeur s'érige comme le «Surmoi», cruel et tyrannique, qui oblige au deuil (noir), au renoncement de la relation fusionnelle mère-enfant, et qui seul permet, par l'interdit et la souffrance, une accession à la communication symbolique, à l'être comme sujet à part entière.

De l'auriculaire au pouce, du rouge au bleu, la tension menant de la matière à l'esprit doit nécessairement franchir l'étape du majeur pour accéder au véritable point d'équilibre représenté par l'index réparateur. Le vert de l'annulaire n'est que perception théorique, idéale, d'une éventuelle synthèse entrevue entre les deux frères ennemis, entre les positions antagonistes de l'auriculaire et du pouce, alors que l'index représente la réalisation concrète du dépassement.

Ainsi, dans cette main qui est l'apanage de l'être humain, dans cet organe unique de la nature, inimitable par sa perfection, la présence ambivalente du majeur en tant que support de la couleur noire ne peut signifier que l'inévitable étape rencontrée dans cette marche initiatique qui conduit au rapprochement entre le rouge et le bleu, au comblement d'un fossé apparemment aussi infranchissable que le mur trop haut du majeur. Sans la présence du majeur, la synthèse de l'annulaire resterait utopique et stérile. Le majeur sépare et unifie. Il est fin et début.

Toutefois, parler d'effort, de dépassement et de tension implique nécessairement l'existence d'un revers de la médaille, et l'abandon, l'échec comme la maladie en sont les inévitables risques. Telle une sphère hissée laborieusement au sommet culminant du majeur mais dont l'effort n'a pas réussi à la faire basculer du côté du pouce; telle une plante correctement semée, mais non arrosée; tel un processus de maturation entravé, la maladie détectée par le rayonnement sombre du majeur reste l'inévitable corollaire de cette possible réussite.

Voici peut-être pourquoi la «couleur» et la position du majeur symbolisent les deux versants de la maladie: maladie qui permet, après rétablissement, d'être encore plus fort, ou maladie qui anéantit ceux qui n'ont pas réussi à la dépasser.

Dépassement ou impasse? Index ou annulaire? Tel est le choix qui nous est imposé. «**Irrémédiable**», **dépassement**, **espoir**, tels sont les mots-clés structurels de cette aventure «hu-main-e».

5) GLANDE PINÉALE ET FONCTION ÉNERGÉTIQUE

Après avoir établi le rôle de blocage du «rayonnement» du majeur, il a été possible de dresser une cartographie de ces «points-blocages».

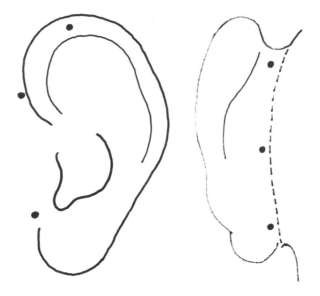

FIGURE 33
SITUATION DES «POINTS-BLOCAGES»

Quel n'a pas été alors mon étonnement de constater que cette cartographie des «points-blocages» se superpose à celle des «points-épiphyse». Or, ces derniers furent déterminés au moyen de l'utilisation d'un anneau-test contenant des extraits organiques d'épiphyse (encore dénommée «glande pinéale»), alors que la détermination des «points-blocages» nécessita une technique complètement différente qui ne faisait aucunement appel au «test-épiphyse».

Cette constatation, effectuée depuis fort longtemps, m'avait alors fait suspecter que l'épiphyse jouait un rôle dans l'économie de l'énergie, et ce d'autant plus que si on la compare à sa prestigieuse voisine, l'hypophyse (vue comme le chef-d'orchestre de l'ensemble de la fonction hormonale), on ne savait pas, il n'y a encore qu'une dizaine d'années, quelle était la fonction exacte de cette petite glande située entre les deux hémisphères cérébraux, celle-là même qui intriguait déjà Descartes... Or, des travaux modernes laissent entrevoir que cette glande jouerait un rôle important dans des phénomènes étonnants... au point qu'un journal médical[1] osa même titrer:

«LA GLANDE PINÉALE POURRAIT ÊTRE LE SIÈGE D'UN SIXIÈME SENS CHEZ LES AVEUGLES».

L'article précise qu'en fait cette propriété existe chez tout le monde mais qu'elle a pu être décelée plus spécialement chez les aveugles.

Reprenons donc le faisceau d'arguments qui oriente notre recherche vers l'existence d'une seconde fonction qui serait peut-être dévolue à l'épiphyse:

Toutefois, avant de commencer cet inventaire, il nous faut préalablement décrire la notion «d'horloge interne et de synchronisation»: les être vivants possèdent une sorte d'horloge biologique interne qui règle certains processus physiologiques sur un rythme fonctionnel d'environ 24 heures (c'est ce que l'on appelle le rythme circadien), et sur un cycle saisonnier et annuel que l'on nomme alors: rythme circannuel. Cette horloge interne est synchronisée sur l'alternance jour-nuit, ce qui la met en concordance avec le cycle naturel d'éclairement. Cette synchronisation est due principalement au signal lumineux perçu, en temps normal, par la rétine, puis transmis par des fibres nerveuses jusqu'à une structure particulière située dans l'encéphale: les noyaux suprachiasmatiques. Cette synchronisation commande entre autres le rythme hormonal de la mélatonine[2], le rythme circadien de la force musculaire des membres, ainsi que les effets néfastes engendrés par les décalages horaires.

Or, ce qui, *a priori*, ne révèle que l'étroite relation des activités humaines avec le cycle solaire, pose en fait problème. Ainsi,

---

1. Le *Quotidien du médecin*, n° 4628, mardi le 13 novembre 1990.

2. La concentration sanguine de la mélatonine – hormone secrétée par l'épiphyse – passe par un maximum en phase nocturne et un minimum en phase diurne.

on ne retrouve pas systématiquement les troubles causés par la désynchronisation chez des non-voyants qui ne peuvent être suspectés de posséder une vision rétinienne! On pouvait penser qu'une cécité s'accompagnerait nécessairement d'une désynchronisation biologique; or, il n'en est rien! Bien plus, des dépressions saisonnières entraînant une baisse de l'humeur et de l'hyperphagie – et qui semblent consécutives à la diminution de la durée du jour – ont été reconnues dernièrement chez des non-voyants. Plus curieux encore, une étude a rapporté le cas, pour l'instant unique, de l'efficacité thérapeutique d'expositions prolongées (environ deux heures le matin) à lumière blanche intense (plus de 2000 lux) chez un aveugle souffrant de désynchronisation.

L'ensemble de ces données incite à penser qu'il existe une seconde voie de perception photonique extra-oculaire qui assurerait la synchronisation circadienne chez les aveugles, et plus accessoirement chez les voyants. «Cette seconde voie, poursuit le *Quotidien du médecin,* pourrait être ce que la Tradition appelle le troisième œil, et l'anatomie la glande pinéale.» Pourquoi l'épiphyse? Parce que chez les oiseaux, chez les lézards, il existe une horloge biologique dans l'épiphyse. L'épiphyse a évolué énormément au cours du temps: de photorécepteur et d'oscillateur (c'est-à-dire générateur de rythmes), elle est devenue simplement glande qui secrète de la mélatonine. Ce qui veut dire que ces fonctions ont été déléguées ailleurs: la fonction d'oscillateur a été prise essentiellement par les noyaux suprachiasmatiques et la fonction photoréceptrice s'est déplacée au niveau du système visuel oculaire. Et chez certains mammifères, à la période néonatale, tant que les yeux ne sont pas encore ouverts, l'épiphyse possède des cellules qui ont des caractères photorécepteurs. Ces caractères archaïques se modifient au cours de l'ontogénèse, quand les yeux s'ouvrent, et c'est l'œil qui devient alors la zone de perception de l'information lumineuse qui synchronise les rythmes.

Tout se passe comme si le développement embryologique reproduisait les principales étapes de l'évolution des espèces.

Tout se passe comme si la glande pinéale conservait chez l'adulte un rôle de récepteur photonique qui serait simplement masqué par l'importance de la fonction visuelle chez les voyants, mais qui serait révélé chez les aveugles.

Et le *Quotidien du médecin* de conclure:

«Des travaux sont en cours notamment à l'INSERM 94. Bron. (Dr Gérard Mick) pour étudier comment les malvoyants se synchronisent sur l'alternance jour-nuit et "éclairer" du même coup une fonction sensorielle pratiquement inexplorée. Toute proportion gardée, il s'agit presque d'étudier un sixième sens, tradition fort ancienne que l'on ne s'étonne pas de retrouver en traitant d'accord êtres vivants et environnement.»

Ce «troisième œil» et ce «sixième sens» auraient-ils un rapport avec l'entité énergétique? Qui pourrait l'affirmer? Ce qui est sûr, c'est que certains arguments se recoupent:

Dans les chapitres suivants, nous aurons largement l'occasion de montrer comment et pourquoi plus un enfant est jeune et plus l'action énergétique s'avère percutante (il en est de même pour les animaux qui répondent très bien à ce type de traitement énergétique). Or, nous constatons que l'enfant, à la naissance, ainsi que certains animaux, a toujours la fonction photoréceptrice extrarétinienne. De plus, l'absence de la fonction visuelle chez les non-voyants semble avoir redonné «droit de cité» au système épiphysaire jusqu'alors masqué par ce «grand frère despotique». Tout se passe comme si, au cours de l'ontogénèse, la fonction photoréceptrice extrasensorielle de l'épiphyse s'atrophiait et devenait source de blocages, tout comme, à mesure que l'individu grandit, les blocages épiphysaires – mais cette fois-ci énergétiques – s'épanouissent et rendent l'efficacité de l'activité énergétique de moins en moins grande.

Tout cela n'est pour l'instant qu'hypothèses, mais qui pourraient se prouver en joignant le travail thérapeutique énergétique (par exemple sur les dépressions saisonnières) à des protocoles expérimentaux ayant pour centre d'intérêt l'épiphyse!

Quoi qu'il en soit, ces données présentent au moins l'avantage de peut-être trouver un lieu d'inscription neurobiologique à cette fonction énergétique qui «voit» sans réellement avoir d'yeux, et même dans l'obscurité totale..!

5) QUAND ON REPARLE DU ALÈPH (2e épisode)

Le majeur n'étant qu'étape transitoire et l'index concrétisation de la potentialité de l'annulaire, nous pouvons considérer, à cette étape de notre développement, que la triade de base peut être réduite au triptyque:

> – auriculaire (rouge)
> – pouce (bleu)
> – annulaire (vert)

Ces trois rayonnements colorés correspondent également à une autre structure ternaire, celle des trois types de cartographies auriculaires:

> 1) phase physique (φ)................(rouge/auriculaire)
> 2) phase psychique (Ψ)................(bleu/pouce)
> 3) phase psychosomatique (Ψ/φ)........(vert/annulaire)

Ainsi, la «bulle» énergétique se compartimente non seulement en quatre parties intimement et dynamiquement imbriquées l'une dans l'autre, mais elle se répartit de plus en trois niveaux.

Dans le graphisme du ALÈPH, qui nous a déjà permis de figurer schématiquement la composition sectorielle de la «bulle» énergétique, ces trois niveaux peuvent être également représentés puisqu'en effet cette première lettre de l'alphabet hébreu provient d'une combinaison de trois autres lettres simples: un VaV et deux YoD.

Le choix du ALÈPH ne relève pas d'une décision arbitraire ou d'une simple analogie entre deux structures ternaires, mais d'une parfaite adaptation archétypale; ces affirmations, apparemment prétentieuses, seront largement développées dans un prochain ouvrage qui sera uniquement consacré à la symbolique du ALÈPH.

Dans l'attente de cette démonstration, la figure du ALÈPH peut d'ores et déjà représenter un bon moyen mnémotechnique pour se remémorer facilement l'existence d'une constitution, non seulement quaternaire et ternaire du corps énergétique, mais aussi unitaire.

En effet, la valeur numérique du ALÈPH, qui est égale à UN, permet de ne pas perdre de vue que ces différents constituants forment **un tout** indissociable.

De plus, à l'instar des trois couleurs primaires[1] (rouge; bleu; vert), les trois rayonnements illustrent la complexité unitaire (ALÈPH=UN) de l'individu, tout comme la combinaison de ces couleurs projetées donne une seule couleur: le blanc.

Ainsi, ces différents aspects – tant unitaire, ternaire, quaternaire, «quinquennaire[2]», qu'ensemble dynamiquement enchevê-

---

1. Les trois couleurs du peintre ne sont pas celles du physicien. Quand, sur sa palette, le peintre mélange ces trois couleurs, le jaune, le rouge et le bleu, il obtient le noir. Et du fait qu'une couleur quelconque peut être obtenue à partir de ces trois couleurs, on les appelle, pour cette raison, **primaires**. Ce procédé de production en couleur à partir de ces trois couleurs fondamentales est appelé la **trichromie**. Mais, pour le physicien, les trois couleurs fondamentales sont le rouge, le bleu et le vert. En effet si à l'aide de trois lampes de poche devant lesquelles on a disposé trois filtres (un rouge, en bleu et un vert) on éclaire un écran, on obtient une couleur blanche à l'endroit où se superposent ces trois faisceaux. C'est ce principe qui est utilisé dans les téléviseurs couleurs. En effet, l'écran est constitué d'îlots formés de trois minuscules pastilles fluorescentes, et sous l'impact des électrons émis par le tube, chaque pastille s'illumine de façon plus ou moins intense. Le téléspectateur placé à quelques mètres ne voit pas séparément les trois pastilles: sur sa rétine se superposent les trois images de couleurs différentes qui forment une seule image de la nuance attendue.

2. On peut s'étonner de cette subdivision. Cependant, bien que le ALÈPH ne se compose que de trois éléments, leur combinaison délimite, en fait, cinq segments. Et après l'exposé des différentes significations symboliques contenues dans la figure du ALÈPH, nous comprendrons aisément comment les significations symboliques de ces différentes portions du VaV s'adaptent, avec une admirable cohérence, au symbolisme des rayons colorées de l'auriculaire (rouge), de l'index (orange) et du majeur (de couleur sombre).

tré – nous ont fait adopter le ALÈPH, en tant que représentation schématique et mnémotechnique de l'entité énergétique.

BLEU

= 1

VERT   ROUGE

Ensemble de la gamme colorée
rouge + bleu + vert = UNE SEULE COULEUR: **le blanc**

PSYCHIQUE

= 1

PSYCHOSOMATIQUE   PHYSIQUE

physique + psychique + psychosomatique = UN MÊME
ENSEMBLE: **l'entité Énergétique**

FIGURE 34
LE ALÉPH, LES COULEURS ET L'ENTITÉ ÉNERGÉTIQUE

Chapitre 7
LA TROISIÈME OREILLE

1) Une interview riche en rebondissements

2) Une épaule «télécommandée»

3) L'importance de la forme

4) Le pouls du voisin

5) Bébé dort

6) «Le principe vital de tout être est dans le sang»

1) UNE INTERVIEW RICHE EN REBONDISSEMENTS

Natanyah est une agréable ville côtière, et je m'y entretenais avec une journaliste intéressée par une publication sur l'auriculo-médecine alors très peu connue en Israël.

Pour répondre à ses attentes, je lui expliquais les principes de base qui régissent cette thérapie nouvelle, en insistant sur ses ré-sultats, diagnostiques et thérapeutiques, aussi rapides qu' efficaces. Le sujet étant relativement nouveau, quelque peu complexe d'ac-cès et de compréhension théorique difficile, lors de toute présen-tation publique du sujet, j'avais pris l'habitude d'illustrer ces considérations abstraites par une démonstration pratique.

L'exercice consiste à détecter les douleurs que présentent cer-tains volontaires dans l'assistance, au moyen de la seule perception des modifications du R.A.C. provoquées par le passage des doigts au-dessus du pavillon auriculaire. Dans un second temps, je corrige ces points par l'application de quelques aiguilles. Bien qu'étant un domaine d'action privilégié de l'auriculo-puncture, le traitement des douleurs n'en constitue pas – loin de là – son seul champ d'application. Et si ce «critère-douleur» a été choisi comme «critère-d'acceptation» et, dans le cas présent, comme «critère-d'efficacité», c'est parce que cette technique thérapeutique présente la particularité tout à fait remarquable d'entraîner, dans la très grande majorité des cas, une diminution – voire souvent une disparition – instantanée[1] des manifestations douloureuses, comme le montre l'observation suivante.

Observation n° 14

J'utilisais les techniques de l'auriculo-puncture dans une «pain clinic» (une consultation de la douleur) à l'hôpital Chaaré-tsédék de Jérusalem. Favorablement étonnés par les résultats de la méthode nouvellement introduite dans cet hôpital, les kinési-thérapeutes s'intéressèrent à cette approche inconnue et me demandèrent eux-mêmes une démonstration.

---

1. Ou parfois des réactions à retardement... **Observation n° 13**: Lors d'un exposé organisé par une de mes patientes, chez elle à Ramot, je procédais donc de cette façon. Mais cette fois-ci, les résultats obtenus sur la première volontaire ne furent pas spectaculaires. Certes, j'avais pu déterminer la localisation de ses douleurs, mais après une correction sommaire, seule la mobilité vertébrale s'en trouva immédiatement améliorée. Cependant, quelques mois plus tard, cette jeune femme vint me trouver, et elle me raconta alors l'histoire complète de sa maladie, ainsi que les suites de cet épisode. Sa maladie débuta en novembre 1984 par une violente douleur lombaire qui l'avait contrainte à s'aliter pendant dix jours. En décembre, elle vécut un autre épisode lombalgique avec, cette fois-ci, des irradiations sciatiques: l'alitement dura vingt-cinq jours. En mai 1985, elle fut réveillée, au milieu de la nuit, par de violentes douleurs à la jambe accompagnées de sensation paresthésiques: le tout nécessita un mois d'alitement, et elle dut finalement être hospitalisée. Le bilan conclut à une sciatique, mais sans décision opératoire. Depuis, elle traînait constamment des douleurs lombaires qui se prolongeaient par des irradiations dans la jambe droite. Le tout entraînait une limitation importante de ses mouvements, au point d'éprouver des difficultés certaines à rester en position assise. Et bien qu'au cours de cette soirée, seule l'impotence fonctionnelle ait disparu, au point qu'elle avait pu alors s'asseoir, elle m'apprit que dès le lendemain elle n'éprouva plus de douleurs, en me précisant aussi que l'amélioration avait persisté jusqu'à ce jour. Seule la crainte d'une récidive l'avait fait communiquer avec moi à nouveau...

Un malade, qui était en train de se faire soigner, accepta de recevoir mon traitement punctural: il s'agissait d'un homme d'environ quarante-cinq ans qui présentait, depuis plus d'un an, une épaule bloquée et douloureuse. Après un bref diagnostic auriculaire, il s'avéra que son problème provenait de la septième vertèbre cervicale. Devant cette dizaine de kinésithérapeutes qui attendaient avec scepticisme l'effet du traitement sur un cas aussi récalcitrant, l'implantation d'une seule aiguille sur la projection auriculaire de cette vertèbre provoqua une disparition instantanée de la douleur ainsi que le déblocage de l'épaule gelée!

Bien que les résultats obtenus lors de ces démonstrations aient été plus ou moins temporaires, ces «guérisons-spectacles» présentaient tout de même l'avantage de susciter l'étonnement à l'égard du pouvoir diagnostique et thérapeutique de cette méthode.

Quant à la journaliste, elle supportait également son lot de douleurs. Aussi lui proposai-je de les localiser, et ce sans aucune indication de sa part. De la main gauche, je pris son pouls radial, à l'affût d'une perception du R.A.C. qui m'indiquerait la localisation des douleurs, alors que de mon autre main, je passai les doigts au-dessus de son oreille. Le majeur me permit de repérer un point particulier qui correspond, sur la cartographie de l'embryon, à la septième vertèbre cervicale. La journaliste me confirma le diagnostic de cervicalgie, tout en me faisant judicieusement remarquer qu'elle n'avait rien vu de la manœuvre réalisée trop près de son oreille. Aussi, afin qu'elle puisse se rendre compte du type de geste effectué, je recommençai les mêmes opérations, en repassant le majeur au-dessus d'un dessin d'oreille qui se trouvait sur les documents dépliés sur la table, tout en ne lâchant pas son pouls, puisque j'étais censé simuler la technique. Stupéfaction! Au moment où je passais le **même** doigt au-dessus de la **même** localisation auriculaire – mais cette fois-ci au-dessus d'un dessin d'oreille – le pouls de la journaliste se mit à battre comme s'il s'agissait de son oreille «organique»!

Or, la perception du R.A.C., à ce **même endroit**, avec le **même** doigt, ne suggérait rien de moins que la présence d'une réaction énergétique au-dessus de cette représentation d'oreille...!

Je restai coi d'étonnement, et je ne sortis de mon silence que suite aux interpellations répétées de la journaliste, qui ne pouvait nullement se douter que, sous ses yeux, je venais de déclencher une réaction du R.A.C. au-dessus d'un simple dessin d'oreille!

Il va sans dire qu'il était hors de question de lui faire part de constatations aussi inconcevables qu'indéfendables!

Tant bien que mal, j'accusais le coup, n'ayant qu'une hâte, celle de rentrer à Jérusalem pour pouvoir vérifier expérimentalement cette observation bouleversante. Relevait-elle d'un pur hasard, d'un artefact ou de je ne sais quel autre phénomène? Existait-il réellement une entité énergétique active au-dessus d'un graphique d'oreille? Et si oui, à quoi correspondait-elle? Et que devenaient les théories du Dr Nogier qui insistait sur le rôle essentiel du revêtement cutané dans le déclenchement du R.A.C.? Ne décrit-il pas la peau comme étant censée reconnaître et «voir» les différentes stimulations qui la sollicitent[1], pour les communiquer ensuite à l'encéphale qui les analyserait et produirait le R.A.C.?

De retour à mon cabinet médical, j'installai discrètement à côté des malades examinés une paire d'oreilles en plastique, en tant que substitut morphologique[2], qui en outre présentait l'avantage de passer plus inaperçue qu'un dessin d'oreille apparemment inutile. Pour ce faire, dans un premier temps, je repérais les points pathologiques sur l'oreille «organique» du patient, puis je répétais l'opération au-dessus de l'oreille en plastique, et systématiquement je retrouvais les mêmes points. Une chose, au moins, était acquise: il n'était plus possible d'invoquer le hasard! Pour autant, je ne comprenais toujours rien à cet étrange phénomène!

Pendant les mois qui suivirent cette constatation, je me contentai d'expérimenter cette technique pour repérer les points pathologiques à traiter sur la face postérieure de l'oreille dont

---

1. «Sa (la peau) perception de l'environnement est extrêmement fine, et elle "voit" en quelque sorte à l'échelle moléculaire ou atomique.» Dr Nogier, *Un homme dans l'oreille*, Éditions Maisonneuve, p. 124.

2. Car quel autre rapport que la forme pouvait-il y avoir entre ces deux types d'oreilles, sinon l'aspect morphologique?

l'accès difficile nécessite habituellement des manipulations complexes: avec l'oreille en plastique, il me suffisait désormais simplement de la retourner pour dévoiler cette face cachée du
pavillon auriculaire!

2) UNE ÉPAULE «TÉLÉCOMMANDÉE»

Si j'utilisais sans trop de réticence les prolongements pratiques de ma découverte, par contre, je remettais de jour en jour le
moment de concevoir et de formuler expressément les conclusions théoriques qui en découlaient.

Cependant, à chaque utilisation de ce procédé, je ne pouvais
m'empêcher de m'émerveiller devant ce phénomène de mimé-
tisme morphologique, au point que subrepticement s'opéra en
moi un cheminement qui ne manqua pas d'aboutir à la question
inévitable qui s'imposait, à savoir: puisque l'émergence d'une
souffrance périphérique se répercute par l'inscription de points
pathologiques sur l'oreille «organique», et que par ailleurs le
traitement punctural les fait disparaître dans les cas où ces pathologies elles-mêmes disparaissent, pourquoi l'implantation d'une
aiguille sur l'oreille en plastique n'entraînerait-elle pas également
une disparition des points pathologiques et donc, concurrem-
ment, une réaction thérapeutique?

La question était aussi logique que la vérification aisée, et
pourtant, je n'osais franchir le Rubicon! L'image de certains
sorciers transperçant une poupée de cire m'empêchait d'effectuer
un simple geste chargé de trop de préjugés.

Et en considérant le temps écoulé entre la découverte de Natanyah et la formulation d'une déduction quasi-mathématique, je
mesure à sa juste valeur l'ampleur des blocages inconscients et
l'opiniâtreté des résistances que l'on est capable d'opposer à la
simple logique, et ce dans le seul but de sauvegarder nos acquis,
nos défenses patiemment élaborées, le petit monde douillet de
nos certitudes qui nous préservent d'une douloureuse et pénible
remise en question! Heureusement, les événements extérieurs
sont souvent là pour nous bousculer et nous pousser dans nos
derniers retranchements...!

Ainsi, après une exténuante semaine de travail consacrée à soigner les dents de ses patients, ma sœur présenta un raidissement hyperalgique de l'épaule. Me trouvant alors chez moi, dans mon cocon protecteur, face à une famille qui avait suivi pas à pas ma progression, loin de mon cabinet et de l'image «respectable» de médecin que je devais assumer, loin de mes patients et des inévitables justifications qu'il fallait sans cesse fournir, tiraillé entre la curiosité et la crainte d'un possible effet, et surtout parce que j'avais cette fois-ci une raison «morale» de tenter cette expérience, je me décidai donc à piquer, en première intention, l'oreille en plastique.

En effet, c'était SCHaBaT et, en ce jour, la religion juive conseille d'éviter – autant que faire se peut – de provoquer un saignement. Le «Surmoi» ne présente pas que des désavantages! Je me saisis donc d'une paire d'oreilles en plastique qui traînait sur la table, et après un rapide diagnostic, je plantai mon aiguille sur l'oreille inerte. À ma grande stupéfaction, les douleurs ainsi que l'ankylose disparurent instantanément. Toutefois, l'accalmie fut de courte durée, et les douleurs reprirent aussitôt. Devant ce résultat positif mais éphémère, je tentai alors d'ajuster la thérapeutique en tournant l'aiguille d'un côté puis de l'autre pour trouver le sens favorable qui stabiliserait, peut-être, le résultat encourageant obtenu auparavant: la «dispersion»[1] (voir figure 35) provoqua un nouvel apaisement...!

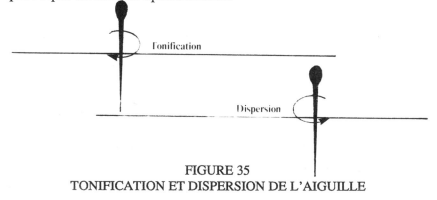

FIGURE 35
TONIFICATION ET DISPERSION DE L'AIGUILLE

---

1. On «tonifie» un point en tournant l'aiguille dans le sens des aiguilles d'une montre. On «disperse» un point en tournant l'aiguille dans le sens inverse.

N'en croyant pas mes yeux, je retournai alors l'aiguille dans l'autre sens et... provoquai de nouveau un retour des douleurs; je «redispersai», et... les douleurs disparurent à nouveau..!

J'avais l'impression de rêver: je tenais dans mes mains une oreille en plastique dans laquelle était implantée une aiguille que je manipulais comme s'il s'agissait d'un levier de télécommande qui provoquait à distance l'apparition ou la disparition des douleurs et de l'ankylose...!

Ce jour de repos physique se passa dès lors à remettre de l'ordre dans mes idées. Je tentais de comprendre ce qui venait de se passer, pour pouvoir le formuler logiquement aussi bien pour moi-même que pour mon entourage qui me pressait de justifier cette guérison inhabituelle.

Par ailleurs, avant de pouvoir tirer une quelconque conclusion d'un résultat aussi incroyable, et que l'on pouvait peut-être attribuer à une éventuelle autosuggestion, je devais auparavant vérifier cette observation singulière sur d'autres patients, espérant obtenir des résultats aussi probants, c'est-à-dire une disparition immédiate des douleurs, et ce tout en m'assurant que les patients ainsi traités ne se doutent pas du type d'intervention.

Or, même en procédant de la sorte, je pus obtenir des résultats incontestables en provoquant une sédation immédiate des douleurs de certains patients qui, à leur grande surprise, se relevaient, soulagés, sans même avoir été touchés.

Aussi, devant l'obtention de résultats aussi indéniables, mes réticences s'estompèrent et ma confiance se renforça au fur et à mesure que j'obtenais des résultats cliniques aussi instantanés qu'incontestables. Après l'événement de Natanyah, j'avais commencé par dissimuler la paire d'oreilles en plastique à côté de la table d'auscultation, ne la sortant que lorsque je me trouvais seul avec les patients qui, eux, ne pouvaient voir ce qui se passait. Puis, peu à peu, je les laissai en évidence, en m'aventurant même à les piquer au vu et au su des accompagnants, en prétextant toutefois une aide dans le repérage des points à piquer. Aujourd'hui, je leur explique franchement mes actes!

Les faits étaient là, probants, incontournables, ne pouvant ni être niés ni être compris, mais contrairement aux autres découvertes que j'avais pu intégrer progressivement, le cas de l'oreille en plastique me submergea, faisant s'effondrer, massivement et brutalement, repères et défenses. Il ne s'agissait plus uniquement de quelque chose d'inconnu, d'une autre réalité, d'une autre dimension, mais d'une entité supracorporelle qui remettait en cause non seulement mon approche médicale, mais également la compréhension générale que j'avais de l'homme, de ses relations avec les autres, avec le monde qui l'entoure.

Et bien que de tels types de pratique se retrouvent sous diverses latitudes, dans des civilisations[1] sans aucun rapport entre elles, mon désarroi fut surtout accentué par le renvoi à certaines pratiques de «mauvais sorciers» qui enfonçaient de la même façon des objets pointus sur des représentations humaines! Était-ce là l'aboutissement de toutes ces découvertes?

Mais en fait, quel est le véritable rapport entre eux et moi? Certes, nous utilisons apparemment une même technique, mais... dans des intentions différentes: eux pour nuire et moi pour guérir! Obtenaient-ils seulement quelque succès? Je ne savais...! Et d'où leur venait pareille intuition? Pourquoi et comment ces deux pratiques aux intentions totalement différentes se rejoignaient-

---

1. Ce qui déjà en soi devrait suffire à amoindrir les légitimes réactions de protestation qui ne manqueront pas – du moins nous l'espérons! – de surgir.
Ainsi lors de la lecture d'un livre d'Alfonso Caycedo sur «*L'aventure de la sophrologie*» (Éditions Retz), nous avons appris que, lors de son passage au Tibet, le fondateur de la sophrologie prit contact avec le médecin particulier du dalaï-lama, et cet authentique médecin de Lhassa l'invita «... à la faculté de médecine la plus pauvre du monde, n'ayant pour cadre que quelques cabanes où se pratique la médecine tibétaine, grâce à un petit groupe de médecins, sous la direction du docteur Donden, le nom du jeune médecin du dalaï-lama. J'ai pu y constater la pratique d'une médecine très rare, que j'ai filmée: les aiguilles à pointe métallique ne sont pas piquées sur le corps du malade lui-même, mais sur une image sur laquelle le patient se concentre.»
D'autres recherches anthropologiques plus poussées révéleraient assurément d'autres exemples, soulignant ainsi la conscience intuitive de la valeur d'une telle pratique.

elles dans la réalisation d'un même type d'acte? Invoquer une simple coïncidence ne pouvait me satisfaire, tant la ressemblance était flagrante. Mais alors, que se passait-il? À quelle donnée fondamentale renvoyait ce retour à l'enfance de l'humanité?

Les questions sont d'importance; cependant, avant de tenter une réponse plus élaborée, il nous faut d'abord établir une distinction nette et radicale: même si ces techniques utilisent un même type de support, entre eux et nous, il existe une distinction de taille qui fera toute la différence.

En effet, nous avons déjà pu constater que seules les forces **Bohou** actionnent le R.A.C., et que sans la présence de ces forces «bénéfiques», aucun effet thérapeutique n'est possible. Ce qui veut dire que ces méthodes énergétiques ne tirent leur efficacité **que** des forces **Bohou** fondamentalement bienfaisantes et protectrices. Dans ces conditions, on se demande comment un même procédé pourrait entraîner un effet et son contraire!

En fait, nul besoin d'argumenter, il n'est besoin que de constater l'évidence des faits pour se convaincre de l'innocuité d'une puncture intempestive: a-t-on vu des maladies provoquées par les épines du cactus si ce n'est celles inhérentes à l'objet traumatique? Bien au contraire[1]! Et ce bienheureux mécanisme de sûreté, introduit par mère nature, est largement confirmé par la pratique puncturale: jamais une aiguille mal positionnée n'a entraîné d'effets néfastes, tout au plus quelques désagréments.

3) L'IMPORTANCE DE LA FORME

Avant de tenter de répondre à ces questions, il me fallait d'abord comprendre pourquoi et comment le fait d'introduire une

---

1. Comme le montre cette observation rapportée par le Dr Nogier, dans son livre *Un homme dans l'oreille*, p. 46 (Éditions Maisonneuve): «J'habite l'été une maison située à côté de Lyon, à la campagne. Dans le jardin se trouve un frêne dont le tronc loge un essaim d'abeilles. Une voisine vient un jour nous saluer et, passant devant l'arbre, se fait piquer sur le sommet du crâne. L'enflure disparaît rapidement avec un peu de vinaigre. Je rencontre cette amie quelques semaines plus tard, et elle me signale que depuis cet incident les fréquents maux de tête dont elle souffrait jusqu'ici ont complètement disparu.»

aiguille dans un bout de plastique pouvait produire un effet sur le fonctionnement organique de notre corps?

Dans ce but, il me fallait mettre en ordre les différents faits constatés:

– Ainsi, je savais déjà que le halo énergétique n'était pas une simple émanation corporelle, mais une entité propre, indépendante, superposée à notre corps, et qui pouvait, du fait de sa constitution, s'épandre en occupant un espace plus ou moins grand.

– La découverte des «rayonnements» de la main droite et de leurs utilisations me fit prendre conscience que cette entité possède en fait un savoir et un pouvoir bien supérieurs au nôtre. Ces propriétés lui permettent non seulement de déterminer en une fraction de seconde la correspondance auriculaire du point périphérique qu'elle a elle-même auparavant détecté, mais encore d'avoir une efficacité thérapeutique certaine.

– Dès lors:

Puisque c'est cette entité énergétique qui explique l'inscription des points sur l'auricule ainsi que leur disparition à la suite du traitement punctural;

Puisque le halo énergétique peut sans aucune entrave englober un espace qui lui est contigu;

Et puisqu'une présence énergétique se retrouve au-dessus d'une représentation d'oreille, il devient alors possible de supposer que c'est la **même** «bulle» énergétique qui s'épanche, sans distinction, sur toutes les **formes** d'oreilles (en plastique ou sur un simple dessin d'oreille) présentes dans son périmètre d'intervention. En effet, il va de soi que l'unique dénominateur commun entre une oreille de chair et de sang reliée au système neurovasculaire et une oreille en plastique reste la seule apparence morphologique. Cette déduction permet d'affirmer que la forme de l'oreille s'avère au moins une condition nécessaire, mais peut-être pas suffisante[1], à l'épanchement de l'Énergie dans le corps humain.

Ces constatations expérimentales nous permettent également d'affirmer que le mode d'action de l'auriculo-puncture ne relève absolument pas d'une quelconque intervention neurologique, mais uniquement d'un effet énergétique. La peau n'y est pour rien, et encore moins le système nerveux. D'ailleurs, comment pourrait-il en être autrement? Existe-t-il seulement une quelconque structure anatomique qui relie l'oreille organique et l'oreille en plastique? Et pourtant, l'efficacité thérapeutique de l'utilisation de l'oreille en plastique ne fait aucun doute!

Dès lors, il doit nécessairement s'agir d'une entité qui dépasse les limites d'une structure anatomique, tout en restant reliée étroitement au corps organique sur lequel il peut également intervenir. De plus, le fait que les mêmes points s'inscrivent **simultanément** sur l'oreille du patient ainsi que sur l'oreille en plastique révèle qu'il doit forcément s'agir d'une **seule et même** structure capable d'englober simultanément deux **formes** d'oreille situées dans un même champ.

Tous ces arguments convergent vers une même donnée, qui non seulement rattache les capacités thérapeutiques de l'oreille à l'entité énergétique, et qui en outre apporte des éléments de réponse quant à l'énigmatique mécanisme d'action du R.A.C.!

4) LE POULS DU VOISIN

En effet, nous avions vu précédemment que le R.A.C. ne pouvait être assimilé à un réflexe qui se formerait au niveau de la moelle épinière, cet arc nerveux étant trop simple pour expliquer un phénomène aussi complexe. De plus, la physiologie du cœur est incapable d'expliquer le mécanisme d'action du R.A.C., puisque cette modification particulière du pouls est également

---

1. Dans la seconde partie de cet ouvrage, nous aurons l'occasion de comprendre pourquoi ce seul élément morphologique n'est pas suffisant, en soi, pour attirer, **en première intention**, une présence énergétique, car l'entité énergétique ne s'épanche pas spontanément sur un substitut d'oreille.

perceptible chez des malades porteurs de stimulateurs cardiaques; or, chez ceux-ci, c'est un *pacemaker* qui impose au cœur un rythme artificiel, mécanique, ce qui veut dire que le cœur ne peut en aucun cas réagir à une quelconque stimulation autonome et encore moins provoquer une modification du pouls. Quant aux centres nerveux supérieurs, il nous est doublement impossible de les incriminer, puisque d'une part certains neurologues contestent catégoriquement cette justification neurophysiologique en affirmant que l'innervation auriculaire serait tout à fait insuffisante pour assumer un tel rôle, et que d'autre part l'expérience suivante invalidera définitivement l'hypothèse neurologique, tout en confirmant par ailleurs nos présomptions quant au véritable responsable de ce phénomène.

Cette expérience nous a été suggérée par une convergence de plusieurs constatations:

– La première certitude, et non la moindre, établit qu'il ne peut être question d'imputer cette modification particulière du pouls à une quelconque structure anatomique, pour la simple et bonne raison qu'aucune voie neurologique ne relie l'oreille en plastique à l'oreille organique. Et pourtant ces deux formes d'oreille se comportent comme si elles ne sont qu'**un seul et même ensemble**, vibrant et réagissant de façon concomitante et synchrone.

– De plus, les conclusions précédentes donnent à entendre que c'est la **même** Énergie qui recouvre les deux apparences d'oreille, ou plus généralement deux ou plusieurs apparences humaines (cette extension mimétique s'avère *a priori* tout à fait justifiée, car si effectivement c'est l'aspect morphologique qui est responsable de ce phénomène d'englobement, on ne voit pas pour quelle raison celle-ci se limiterait à l'oreille!)

– Lors de l'étude du jeu antagoniste des forces **Tohou** et **Bohou**, nous avions appris que lorsque l'ensemble du corps est recouvert par les seules forces **Tohou**, il devient alors impossible de percevoir les modifications du R.A.C., ce qui laissait déjà entrevoir que les énergies **Bohou** n'étaient pas étrangères au mécanisme d'action du R.A.C. Or, il existe une façon indubitable de baser cette origine énergétique du R.A.C.

Ainsi, si ces observations s'avèrent exactes, on devrait alors ressentir les **mêmes** modifications du R.A.C. sur plusieurs personnes qui se trouveraient dans le champ d'action d'une **même** «bulle» énergétique! Ne nous offusquons pas d'une telle hypothèse: ne savons-nous pas déjà que l'entité énergétique s'entremêle avec toutes les «bulles» qui se trouvent à proximité? Dès lors, si celle-ci est réellement responsable du mécanisme d'action du R.A.C., il devient légitime de supposer que l'on pourrait, à la rigueur, percevoir les modifications de R.A.C. de la personne examinée sur une autre personne présente à ses côtés, de même que par ailleurs nous retrouvons les **mêmes** points aussi bien sur l'oreille du patient que sur les autres oreilles présentes à proximité (oreille en plastique ou d'une autre personne, car il est également possible de soigner une personne par l'intermédiaire de l'oreille d'une autre personne!).

Ce qui veut dire que l'on devrait pratiquement pouvoir prendre le R.A.C. d'une personne en palpant le pouls d'une autre personne...! Or, en pratique, c'est effectivement ce qui se passe!

Plus que de longs discours, l'observation suivante illustrera notre propos de façon significative.

Observation n° 15

Un jour, je reçus en consultation un jeune couple que je soignais habituellement. Cependant, lors de cette séance, la patiente ne put relever son bras en arrière (comme l'exige la prise habituelle du R.A.C.), car depuis quelques jours, elle souffrait d'une scapulalgie invalidante. Aussi, au lieu de prendre le R.A.C. sur la main droite, comme j'aurais tenté de le faire auparavant dans pareille circonstance, j'installai son mari entre elle et moi, et au lieu de me servir du pouls de la patiente, j'utilisai celui de son époux. Grâce à ce subterfuge, je pus piquer sans difficulté l'oreille de la souffrante qui releva aussitôt son bras initialement immobilisé par la douleur. Et la consultation put se poursuivre normalement!

Par la suite, je pus amplement vérifier ce stratagème sur des nourrissons qui dormaient, éliminant ainsi toute participation d'une quelconque suggestion ou d'un supposé hasard. Le mécanisme se révéla parfaitement efficace et les résultats obtenus de cette manière, comme par exemple sur les douleurs, furent tout aussi probants.

5) BÉBÉ DORT

Quoique les découvertes précédentes de «l'oreille en plastique» et «du pouls du voisin» fussent d'une importance théorique de premier plan, sur le terrain, elles débouchèrent sur des ouvertures pratiques non négligeables.

Connaissant désormais la technique du «pouls du voisin», il devenait possible de percevoir distinctement le R.A.C. sur des personnes au pouls imprenable, soit en se servant du pouls d'une tierce personne, soit plus simplement de mon propre pouls. Dès lors l'auriculo-médecine pouvait être pratiquée sans aucun problème sur des malades tremblotants, agités, manchots... et même sur des animaux!

Observation n° 16

Une de mes patientes du troisième âge se lamentait sans cesse sur les malheurs de sa pauvre chatte, sur laquelle une sévère gingivite s'était abattue.

D'un air catastrophé, elle me dit:

– Regardez comme elle souffre! comment elle se passe la langue sur les gencives! J'avais beau écarquiller les yeux, je ne voyais aucune grimace de souffrance! Pourtant, bien que mon ignorance en la matière fût totale, je compris tout de même que le problème devait être suffisamment sérieux pour obliger le vétérinaire à se rendre aussi fréquemment, et depuis bientôt six mois, au chevet de la souffrante qui s'alimentait si difficilement!

Aussi, au fil du temps qui s'écoulait sans amélioration notable, une idée finit par germer: ne pourrait-on pas utiliser ces méthodes sur les animaux?

En effet, aucun impératif technique ne s'opposait à cette initiative puisque je n'avais ni besoin du pouls imprenable du chat, puisque j'avais le mien, ni besoin de connaître les éventuelles localisations des points «félins»: le «rayonnement» des doigts me les indiquerait instantanément!

Aussi, davantage par curiosité que par «humanité», je lui proposai d'essayer sur son «minou» cette technique énergétique, et en me servant de mon pouls et du passage de mes doigts, je repérai quelques points que je piquai. Deux jours plus tard, cette sympathique «mamie» me rapporta que depuis lors, tout était rapidement rentré dans l'ordre...

Ce résultat m'étonna suffisamment pour que je m'interroge: pourquoi n'avais-je pas proposé plus tôt mes services. Quel était l'élément qui m'avait bloqué? Étaient-ce mes réticences naturelles ou le fait peut-être de me rendre compte qu'il n'y avait pas de spécificité énergétique humaine? Je ne sais... Quoi qu'il en soit, j'appris que cette technique thérapeutique semblait parfaitement s'adapter à nos «amies les bêtes», car avec les animaux, on a vraiment l'impression de régler les problèmes en un tournemain! Nous comprendrons ultérieurement les raisons de tels effets!

Néanmoins, ce résultat mirobolant pouvait encore être imputé au seul fruit du hasard! Aussi, je vérifiai cette observation «vétérinaire» inaugurale sur d'autres animaux: à chaque nouvelle tentative, l'impact thérapeutique se vérifia d'une façon extrêmement probante... aux dires des propriétaires, puisque, en médecine vétérinaire, je n'y connais strictement rien! Quant à la technique de «l'oreille en plastique», outre qu'elle permettait dès lors de traiter puncturalement les hémophiles, les malades prenant des anticoagulants, ainsi que toute la gamme des peureux terrorisés à l'idée d'une quelconque ponction ou par une éventuelle transmission du SIDA[1], dans ma pratique quotidienne, la véritable et profonde transformation survenue depuis la mise en pratique de ces déductions théoriques fut, sans conteste, le net rajeunissement de ma

---

1. Avec la propagation de l'épidémie du SIDA, s'est développée une véritable terreur face à une éventuelle transmission du virus par l'intermédiaire des aiguilles. Or, il va sans dire que les aiguilles utilisées par tout médecin consciencieux sont soit à usage unique, soit convenablement stérilisées.

clientèle, ce qui explique aussi la percée réalisée dans le domaine pédiatrique.

En effet, auparavant, en auriculo-médecine, il était tout à fait impensable de soigner des nourrissons, puisque d'une part leur pouls «R.A.Cien» était imprenable, et d'autre part parce que l'implantation d'aiguilles n'était pas envisageable chez ces perpétuels agités, du moins avec la précision fournie par le R.A.C. Par contre, avec les subterfuges de «l'oreille en plastique» et du «pouls du voisin», des horizons nouveaux s'entrouvrirent et les jouets refleurirent dans la salle d'attente.

Un tel renversement de fréquentation s'expliqua avant tout par les excellents résultats obtenus sur ces tendres bambins qui réagissent merveilleusement bien aux thérapeutiques énergétiques.

Yonatan et Mayane furent les deux premiers enfants dont j'eus à m'occuper. Ils me furent adressés par le Dr Cohen, chef de service-adjoint à l'hôpital Bikour Holim et un des meilleurs oto-rhino-laryngologistes de Jérusalem.

N'ayant jusqu'alors jamais soigné de ses patients et encore moins de nourrissons en général, je m'étonnai doublement qu'il m'adressât cette catégorie de patients[1]. Néanmoins, j'acceptai tout de même de les traiter, sachant que j'avais désormais les moyens de contourner les impossibilités techniques inhérentes à leur bas âge.

Toutefois, leurs réactions me surprirent très agréablement, puisque les cas similaires chez les adultes ne m'avaient pas accoutumé à des résultats aussi quasi systématiquement efficaces et rapides. Les cas de ces deux premiers patients illustreront parfaitement nos propos.

Observation n° 17

Mayane était âgée d'un an et demi. Elle présentait une rhinopharyngite chronique compliquée par des otites purulentes à répétition, ce qui avait nécessité une prise d'antibiotiques pendant six mois consécutifs, sans pour autant obtenir de résultats. Les

---

1. Par la suite, j'appris comment il en arriva jusqu'à moi...

douleurs la rendaient de plus en plus irritable, au point d'en devenir franchement pénible.

Lorsque je la reçus en consultation, elle ne cessait de hurler, et après une demi-heure de soins – qui me parurent une éternité, tant ces cris incessants étaient insupportables! – l'enfant se calma et s'endormit tranquillement. «Dès le lendemain, une transformation radicale s'opéra chez Mayane qui redevint calme, souriante et pour ainsi dire gaie», me rapportèrent ses parents.

Par prudence, je revis l'enfant une semaine plus tard et constatai une amélioration étonnante: elle ne nécessitait plus de soins... Mayane était guérie!

Voici le compte rendu objectif que j'ai demandé au Dr Cohen de me rédiger:

«Cette enfant de un an et demi a été vue en consultation pour des otites chroniques à répétition dont le début remontait à sa tendre enfance. À l'examen, on notait de sérieuses inflammations auriculaires accompagnées d'écoulements, et ceci des deux oreilles.

»Nous avons conseillé un traitement par le Dr Kessous pour améliorer son état en attendant l'été, et selon le compte rendu de la mère, après ce traitement, l'état de l'enfant s'en est trouvé très nettement amélioré.

»Cinq mois plus tard, l'enfant fut revue en consultation, et l'on nota tout de même une légère persistance de sérosité auriculaire, mais sans inflammation ni écoulement pathologique.»

Observation n° 18

Encouragé par ce succès, ce même spécialiste – particulièrement humain et modeste – m'adressa un enfant de sept mois: Yonatan. Lorsque celui-ci arriva à mon cabinet, il présentait de sérieuses difficultés respiratoires provoquées par un encombrement des voies aériennes supérieures.

Yonatan avait été atteint, dès l'âge de trois mois, d'une bronchite asthmatiforme qui avait nécessité l'administration de Ven-
toline et la pratique d'inhalations. La fin du traitement avait été
marquée par une rechute accompagnée d'une otite. Les mêmes
soins furent administrés mais sans effet, et la crise dura deux
semaines. Après une rémission de trois jours, il subit une nouvelle crise, accompagnée cette fois-ci de vomissements. À six
mois, une déshydratation consécutive aux précédentes manifestations nécessita une hospitalisation avec administration de Bri-
canyl et mise sous tente à oxygène. Après quelques jours
d'accalmie, l'enfant rechuta rapidement. C'est à ce moment que
je le reçus en urgence: il sortait de chez le Dr Cohen.

Je commençai le traitement énergétique, et déjà sur place,
l'enfant présenta une nette amélioration: il respira nettement
mieux, beaucoup plus facilement. Le lendemain, il n'avait plus
rien. En outre, «lui qui était si triste, recommença à sourire et à
s'éveiller aux jeux», s'étonna sa mère.

Voici le compte rendu, prudent mais objectif, du Dr Cohen:

«Cet enfant, que je suis depuis l'âge de cinq semaines, a
souffert d'otites, de rhinopharyngite chronique ainsi que de
bronchites asthmatiformes à répétition. Je l'ai orienté vers le
Dr Kessous comme ultime tentative thérapeutique avant d'opérer
l'enfant qui se trouvait alors en bien mauvais état. Le lendemain
du traitement, l'important encombrement nasal avait disparu, et
selon le rapport de sa mère, l'état de l'enfant s'était nettement
amélioré. Depuis, celui-ci est satisfaisant. Il faut noter cependant
que trois mois plus tard, Yonatan présenta à nouveau une otite
séreuse moyenne des deux oreilles, mais qui fut jugulée par une
simple prescription d'antibiotique. En résumé: c'est un enfant qui
a beaucoup souffert de rhumes et d'otites douloureuses et dont
l'état de santé s'est trouvé nettement amélioré grâce au traitement
du Dr Kessous. L'enfant a pu dépasser ainsi une phase critique et
éviter l'opération qui s'imposait. Actuellement, l'état de l'enfant
ne requiert aucune intervention chirurgicale, mais bien sûr il se

pourrait que, lors des prochains hivers, il soit utile de l'envisager à nouveau...»

Dans le cas de Mayane, l'antibiothérapie avait été totalement inefficace, aussi bien pour enrayer l'infection que les douleurs: voici plusieurs nuits que l'enfant ne laissait plus un seul instant de répit à ses parents qui lui tenaient compagnie durant ses éprouvantes insomnies, et je ne pourrai oublier l'image de sa mère au jour de cette première consultation: je revois ses yeux, tellement fatigués et en même temps tellement emplis de compassion!

Or, la simple puncture d'une oreille en plastique avait fait cesser instantanément les douleurs de Mayane – et par conséquent la nervosité réactionnelle –, alors que pour Yonatan, cette thérapie «artificielle» avait entraîné un arrêt immédiat de l'encombrement nasal qui le gênait tant et qui provoquait secondairement otites et bronchites...!

De tels résultats balayèrent les moindres doutes qui auraient pu encore m'assaillir quant à la réalité de ces subterfuges et me permirent de mesurer l'importance primordiale de ces techniques en médecine pédiatrique, au point de pouvoir affirmer que ces méthodes énergétiques sont préférentiellement **une médecine de l'enfant**.

Dans ce but, nous rapporterons également deux autres observations qui nous permettront, au passage, de soulever et de souligner quelques questions:

Observation n° 19

Thomas était un enfant de trois ans, l'aîné d'une fratrie de deux garçons nés de parents infirmiers.

Sa mère me l'amena pour un problème d'encoprésie[1]. «Et pourtant, me fit-elle remarquer, à partir de 22 mois, il a été entièrement propre la nuit. Mais actuellement, dans la journée, il

---

1. Encoprésie: «Incontinence des matières fécales, d'origine fonctionnelle» dans le *Dictionnaire des termes techniques de médecine* de Garnier et Delamare, Éditions Maloine.

refuse de faire caca au pot; sortir une crotte le répugne au point d'en être maladivement constipé, et de n'aller à la selle qu'avec un lavement.»

Thomas avait été suivi en psychothérapie pendant quelques mois, car les parents se doutaient bien qu'un problème d'ordre psychologique sous-tendait ce comportement pathologique. Ils le rapportèrent, d'une part à la naissance d'un puîné, et d'autre part au fait que «sa nounou l'avait habitué trop tôt – dès neuf mois – à le mettre sur le pot, tout en lui donnant à manger pour le récompenser...!» Malheureusement, au bout de quelques mois, ils cessèrent la psychothérapie, découragés par la lenteur et le peu de résultats.

Le cas s'annonçait difficile. Certes, j'avais déjà facilement résolu certains cas d'incontinence urinaire à nette connotation psychologique, mais de là à traiter un cas d'encoprésie aussi évidemment rattaché à un problème anal, il y avait une différence considérable! Et pourtant! Dès après la première séance, l'enfant devint propre et ne fut plus constipé. Un mois plus tard, il y eut une légère rechute, immédiatement et définitivement jugulée par une deuxième séance.

Que penser face à un tel résultat dans lequel l'implication psychologique était aussi évidente? Et pourtant, l'intervention énergétique avait été largement plus efficace que plusieurs séances de psychothérapie...!

Quel est donc le rapport existant entre l'Énergie et l'appareil psychique? Comment une intervention «impalpable» peut-elle résoudre des «nœuds» psychologiques dus à une histoire personnelle?

Tout s'était passé comme si, en un tour de main, on avait effacé la mémoire inconsciente qui avait enregistré les données des conflits psychiques: la cassette était désormais vierge et le symptôme n'avait plus lieu d'être. Dans ce cas, le rapport avait au moins le mérite d'être évident, mais il ne l'est pas moins dans les cas d'eczéma, d'asthme ou d'allergie contre lesquels cette technique énergétique obtient également de bons résultats.

L'autre observation est également un cas de rhinopharyngite, mais cette fois-ci, ce fut le déroulement de la séance qui me fit crucialement ressentir l'existence d'un autre problème.

Observation n° 20

Le même Dr Cohen m'adressa un enfant qui présentait, malgré l'été, une rhinopharyngite persistante qui s'accompagnait de surcroît d'un arrêt de la croissance.

La méthode était maintenant bien rodée, et comme d'habitude, je fis allonger la mère sur la table d'auscultation et j'installai sur elle son enfant, en me servant du pouls maternel comme s'il s'agissait de celui de son fils. Ainsi, à l'écoute des mouvements du R.A.C. de la mère, je pus établir un repérage précis des points pathologiques de l'enfant, et je les corrigeai sur l'oreille en plastique disposée à ses côtés.

Quant au père, professeur d'université d'origine suisse, il observait la scène décontenancé, et pensant aux recommandations du Dr Cohen, il devait certainement se dire: «Mais qu'est-ce qui lui a pris de nous envoyer ici!» Il me le dit autrement, plus diplomatiquement, sous forme de boutade: «Cette méthode me rappelle étrangement celles du vaudou...!» Que pouvais-je lui rétorquer? Me lancer dans d'interminables explications, en reprenant toute ma démarche...? L'important n'était-il pas qu'il me fasse suffisamment confiance pour pouvoir traiter correctement son fils? Aussi, sachant qu'il souffrait de douleurs à l'épaule – dont il m'avait parlé **avant** de m'avoir vu procéder – je voulus lui faire, sur lui-même, une démonstration quant au bien-fondé de cette technique aux allures tellement «magiques». Aussi, tout en restant assis, je lâchai aussitôt la main de sa femme pour me saisir de son pouls, qui me servit alors de guide dans la détermination des points pathologiques que je traitai à même l'oreille en plastique.

Après ces quelques manœuvres rapides, et à sa grande stupéfaction, il retrouva instantanément l'aisance des mouvements qu'il avait perdue depuis plus d'un an...! La consultation put se poursuivre en toute tranquillité, et deux séances s'avérèrent quand même nécessaires pour aider ce «petit Suisse» à se débarrasser de sa rhinorrhée tout en relançant sa croissance.

Par un tour de passe-passe, j'avais réussi cette fois-ci à éluder les questions embarrassantes qui s'imposent de toute évidence, mais auxquelles je ne pouvais répondre d'une façon satisfaisante en quelques phrases.

Bien plus, ce n'était pas les seules questions que moi-même je me posais: n'y avait-il pas quelque danger à dévoiler ces troublantes réalités? Peut-être s'avéreraient-elles difficilement maîtrisables? Peut-être y avait-il des risques de manipulations malintentionnées? Assurément, les ressemblances évoquées représentent un véritable problème que l'on ne peut esquiver indéfiniment, et ce d'autant plus qu'elles pèsent lourdement sur la crédibilité de nos propositions. En effet, tant que nous n'aurons pas résolu ce problème épineux, il restera toujours un arrière-goût désagréable qui pourrait faire rejeter *a priori* ces méthodes thérapeutiques, aussi efficaces soient-elles. Et ce problème se posait avec tant d'acuité que pendant longtemps j'hésitai à intégrer ces dernières découvertes dans cet ouvrage. D'autant plus que, dans la majorité des cas, l'utilisation de cette seule technique «artificielle» ne suffisait pas et il fallait tout de même avoir recours à l'implantation d'aiguilles «*intra-muros*». Mais nous ne pourrons justifier cet état de fait que dans la seconde partie de cet ouvrage. Cependant, après mûre réflexion, la décision finit par s'imposer d'elle-même, et ce pour ces deux raisons essentielles:

– Avant tout, ma pensée alla vers les enfants. Combien de temps encore devais-je garder pour moi cette capacité fantastique à soulager les enfants en un tournemain? Combien d'enfants pouvais-je soigner à moi tout seul? Combien de temps encore fallait-il supporter de voir tant d'enfants souffrir de maints maux sans pouvoir intervenir? Au nom de quoi devais-je me taire? Pour ma respectabilité? De peur de me faire traiter de «marginal délirant»? Peu importe, si cela permet au moins à quelques enfants de ne plus s'enliser dans leur maladie, alors assurément cette décision aura porté fruit.

Toutefois, cet accès de sentimentalité et de courage doit être ramené à sa juste valeur, car cette technique est en fait tellement efficace qu'elle ne craint aucune confrontation. Bien au contraire, elle les appelle de toutes ses forces, tant cette méthode thérapeutique possède le moyen, difficilement contestable, de démontrer sur-le-champ toute son efficacité. Et je me tiens à la disposition de toute équipe qui désirerait constater les capacités de cette thérapie à faire disparaître, instantanément, la majorité des douleurs ou à interrompre, sur place, la majorité des écoulements nasaux chez les enfants...

– De plus, avec ces découvertes, je possédais enfin une preuve difficilement réfutable qui permettrait d'objectiver, indirectement, l'existence d'une entité énergétique supracorporelle responsable, non seulement du mécanisme d'action du R.A.C., mais encore de l'efficacité de cette méthode thérapeutique. Dans ces conditions, il m'était difficile de ne pas faire état d'une expérience aussi démonstrative[1].

Il aurait été, bien entendu, plus commode de me contenter d'exposer uniquement les propriétés des «rayonnements» des doigts, et cela aurait été déjà en soi une chose importante! Mais alors, cela aurait voulu dire que la science n'acceptait que l'on ne parlât que de ce qui l'arrangeait et qui confortait ses prises de position antérieur! Je me refuse à penser cela, et quoi qu'il en soit, je me dois d'avoir le courage de mes constatations, puisque c'est par cette seule démarche de recherche objective – aussi dérangeante soit-elle – qu'il nous a été possible de comprendre le rôle prépondérant, ainsi que le fonctionnement, de cette entité énergétique.

---

1. Bien que, d'un autre côté, j'aurais très bien pu me passer de la description de cette encombrante technique de «l'oreille en plastique», qui ne constitue pas en soi un aboutissement thérapeutique, mais une étape vers le développement de méthodes qui ne nécessitent aucune intervention puncturale ni aucun substitut d'oreille!

Ce n'est que par l'établissement de lois rigoureuses, logiques et cohérentes, situées aux antipodes de ces pratiques «magiques», qu'il nous sera possible de nous démarquer formellement de cette image parasite et désobligeante, mais encore et surtout de donner un statut scientifique à ce savoir et à ce pouvoir, certes impalpable et invisible, mais tellement efficace...

En rapportant ces résultats spectaculaires, quasi «miraculeux», notre intention n'est pas de nous exclamer: «vous voyez, ça marche, c'est donc vrai!», car chacun d'entre nous a déjà entendu parler de guérisons aussi spectaculaires, si ce n'est plus, réalisées par tel ou tel guérisseur, chaman ou sorcier. Et nous ne prétendons ni les contester ni les confirmer ni les expliquer, mais plutôt nous situer face à ce qui reste avant tout des exploits personnels de «foire». Par contre, en expliquant rationnellement notre démarche, et en sous-tendant ce pouvoir thérapeutique par l'élaboration de lois didactiques, nous avons voulu apporter des éléments d'ordre scientifique qui permettront peut-être à un plus grand nombre de soignants d'apprendre ces techniques et de les mettre en pratique.

6) «LE PRINCIPE VITAL DE TOUT ÊTRE EST DANS LE SANG»

Tout en avançant, avec une extrême prudence, dans le territoire imprécis de l'Énergie, une conclusion tout au moins s'avérait désormais certaine: il devenait impossible d'appréhender l'être humain seulement comme un conglomérat hyperperfectionné de muscles et de nerfs qui supporterait un appareil psychique. En effet, on peut parler d'au moins trois entités distinctes. Il s'agit:

– du corps physique, matériel, visible, palpable, objectivable;

– d'un appareil psychique;

– et d'une entité énergétique, tout aussi immatérielle, invisible et impalpable que la précédente.

Malgré l'absence de rapport d'émanant à émané entre le corps physique et l'entité énergétique, ces structures ne sont pas pour autant totalement distinctes, et elles restent intimement imbriquées l'une dans l'autre. Plus précisément, celles-ci peuvent être comparées à des copropriétaires qui utiliseraient en commun les mêmes structures. Ainsi en est-il pour le réseau vasculaire, qui est emprunté autant par le corps physique que par l'entité énergétique.

En effet, dans l'organisme, le système cardiovasculaire s'occupe de gérer et de répartir cet élément grouillant de vie qu'est le sang, alors que l'Énergie s'en sert pour produire son système d'alarme: le R.A.C. Ainsi, puisque le pouls se trouve être en même temps l'expression du fonctionnement de notre système cardiovasculaire et le lieu d'expression du R.A.C., le sang peut être alors comparé à une sorte de courroie de transmission qui unirait et intégrerait ces deux entités en un tout harmonieux que chacun utiliserait à un niveau différent, ainsi que l'illustrera le schéma suivant:

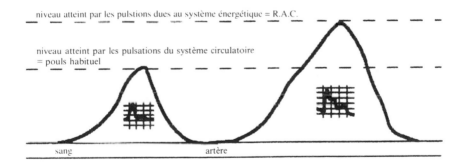

FIGURE 36
CONTENU DU VAISSEAU UTILISÉ EN MÊME TEMPS
PAR LES SYSTÈMES PHYSIQUE ET ÉNERGÉTIQUE

Cette superposition inattendue de fonctions me renvoya alors à certains versets bibliques dont l'étonnante formulation m'avait également toujours intrigué. Ainsi, la Bible justifie l'interdiction de consommer du sang par la raison suivante: «[...] car le principe vital (NéPHéCH) de la chair se trouve dans le sang».

Rien de surprenant dans tout cela, pourriez-vous dire; cependant, il est particulièrement remarquable de constater que la Bible revient à de nombreuses reprises sur cette interdiction, en employant chaque fois des formulations aussi différentes que «bizarres», et qui, en outre, les apparentent à un raisonnement mathématique.

Ainsi en est-il dans ces exemples:

1) Dans le Lévitique, XVII, 11, il est écrit: «Car le principe vital de toute chair est contenu dans le sang».

2) Puis à la fin de ce même verset, la Bible affirme que «le sang est contenu dans le principe vital».

3) Et la Bible de conclure logiquement: «car le principe vital de toute chair EST (=) son sang». (Lévitique, XVII, 15)

Cette équivalence surprenante n'est pas pour autant le seul élément insolite de ce verset. En effet, on peut légitimement se demander quel est ce NéPHéCH dont parle la Bible et qui ne se trouverait pas seulement dans le sang, mais serait le sang lui-même, tout en n'étant pas organique? Assurément, il ne s'agit pas pour la Bible de décrire biologiquement la composition du sang en dévoilant un élément organique jusqu'alors passé inaperçu, puisque bien sûr la Bible n'est pas un livre de médecine[1], et qu'en outre, en employant un terme (NéPHéCH) habituellement

---

1. Pour le Talmud *Baba Kama* 85a, la formule «et il le soignera jusqu'à guérison» (*Exode* XXI, 18-19) justifie légalement l'activité médicale. Cette décision juridique a pour corollaire que le savoir médical est à rechercher auprès des médecins et non auprès des quelques informations disséminées à travers la Bible.

utilisé pour désigner l'âme, le souffle de vie[1], la Bible montre
clairement que, pour elle, le NéPHéCH est bien un principe
immatériel, impalpable, invisible, et qui ne manque pas de rappeler... l'entité énergétique.

Dès lors, on peut légitimement se demander s'il n'existerait
pas un rapport entre ce NéPHéCH et l'entité énergétique? Dans
l'état de notre développement, nous ne pourrons aborder ce problème qu'après avoir décrit d'autres notions qui seront exposées
dans la seconde partie de cet ouvrage. Toutefois, nous ne pouvons qu'être surpris de retrouver dans la Bible un **même** schéma
structurel qui nous avait été suggéré par nos déductions théoriques médicales; le sang serait, en même temps, support d'un
élément biologique et d'un élément immatériel (appelé dans ce
cas NéPHéCH = force vitale). Et si, avec précaution, nous avions
comparé cet élément commun à une courroie de transmission, la
Bible, elle, par contre, n'hésite pas à identifier le sang à la force
vitale, en disant: «Le sang **est** le NéPHéCH». Ainsi est-il clair que
pour la Bible, l'Homme ne peut être réduit à une association
de fonctions; il est un TOUT harmonieux et fondamentalement
unitaire...

Pour autant, ces rapprochements effectués entre certaines
données de la littérature biblique et notre propos ne relèvent pas
d'une volonté apologétique, et encore moins d'une simple curiosité, mais d'une analogie qui pourrait se révéler féconde d'hypothèses. En effet, si ces parallèles se confirmaient, cela voudrait
dire que cette réalité énergétique aurait été intuitivement entrevue
par ce qui doit être, au moins, considéré comme une légende
puisant aux sources profondes de l'inconscient des peuples[2]. Les
mythologies devant être considérées comme une expression imagée qui emprunte la terminologie et les données culturelles du
milieu d'où elles émanent. Et si Freud habilla ses déductions

---

1. Genèse I, 30; II, 7, 19; IX, 10, 12, 15, 16: Lévitique XI, 10, 46.

2. Sans cela, la Bible n'aurait pas été l'ouvrage le plus traduit au monde, ni le *best-
   seller* mondial au fil des ans.

théoriques du manteau des mythes grecs, quant à moi, qui me sens plus proche de la Bible, mes préférences vont à elle; d'autant plus que dans ce domaine particulièrement dépourvu de directions de recherche, ces références constituèrent une précieuse source d'intuition.

Chapitre 8

LES TROIS NIVEAUX DE L'ÊTRE HUMAIN

1) Une représentation schématique plus adaptée

2) La barrière psychique

3) «Transparence» du thérapeute

4) Incontournable psychisme?

5) Quand on reparle du ALÈPH (3ᵉ épisode)

1) UNE REPRÉSENTATION SCHÉMATIQUE PLUS ADAPTÉE

Ainsi, jusqu'à présent, et pour illustrer schématiquement l'arrangement des différents composants du triptyque humain (physique, psychique, énergétique), nous nous servions, personnellement et faute de mieux, de la figure d'un cercle globalisant, harmonieux et unitaire, dans lequel s'inscrivaient les trois pôles de l'ensemble ternaire (triangle équilatéral) (voir figure 37).

Or, en étudiant la Bible et ses exégèses dans le but de connaître les significations attribuées aux termes **Tohou/Bohou** – parce que c'est cette dénomination que nous avions adoptée pour décrire l'état d'enchevêtrement des énergies «bénéfiques» et «maléfiques» –, un texte qui mentionne un de ces mots retint mon attention. En effet, ce verset semble non seulement s'accorder et résumer notre propos, mais il suggère aussi une autre description schématique, et pour ainsi dire plus naturelle de cette triade.

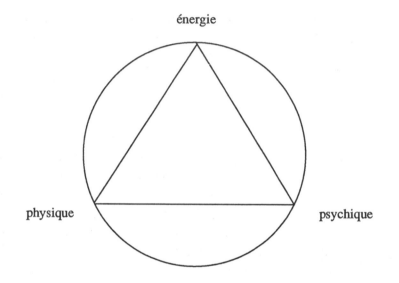

FIGURE 37
PREMIÈRE REPRÉSENTATION SCHÉMATIQUE
DU TRIPTYQUE HUMAIN

Ce verset se trouve dans le discours prononcé par Moïse à la veille de sa mort et dans lequel il rappelle aux Hébreux les bienfaits que Dieu leur offrit dans le désert: «Il les rencontra dans une région déserte, dans les solitudes aux hurlements sauvages; Il les protège, veille sur eux, les garde comme la prunelle de ses yeux» (Deutéronome XXXII, 10). Telle est la traduction établie par la Bible du Rabbinat.

Certes, transposé en ces termes, on peut difficilement trouver un rapport entre ce verset et notre propos! Cependant, appréhendé dans le texte en hébreu, ce verset interpelle, et ce pour plusieurs raisons:

1) D'une part, par l'emploi exceptionnel du mot **Tohou**, qui n'apparaît qu'à deux reprises dans le Pentateuque:

– une première fois, dans la *Genèse,* pour décrire le chaos qui a précédé l'organisation de ce monde:

«Au commencement, ÉLOHIM créa les cieux et la terre, et la terre était **Tohou** et **Bohou**, et les ténèbres étaient sur la face de l'abîme, et le souffle d'ÉLOHIM planait sur la face des eaux.» (*Genèse:* I, 1)

– et une deuxième fois, dans le verset pré-cité du Deutéronome.

2) D'autre part, en approfondissant la signification de cette appellation – malencontreusement traduite par le terme de «solitude» –, nous avons appris que l'état de **Tohou** s'applique à «celui d'un environnement où il manque des références qui permettent l'orientation spatio-temporelle... c'est un vaste espace vide et dépourvu de toute signification...»[1]. Cette définition plus serrée laisse entendre, *a contrario,* que la suite de ce verset contiendrait l'organisation de ce chaos initial...!

Or, justement dans la deuxième partie de ce difficile verset, on remarque la succession de trois termes (yéSoVéVénéhou; yéVoNénéhou; yTSRénéhou) à la construction syntaxique inhabituelle, et dont la ressemblance phonétique et le contexte indiquent que le texte biblique traite de l'organisation trinitaire d'**un même tout**.

En effet, traduits littéralement, ces trois termes prennent un tout autre sens que celui proposé par une traduction trop poétique:

– yéSoVéVénéhou signifie: «il l'entoure», de SoVéV.

---

1. Josy Eisenberg, Armand Abecassis, *À Bible ouverte*, Éditions Albin Michel.

– yéVoNénéhou dérive du mot BiNa, intelligence de discrimination; ce qui donnerait comme traduction: «il lui donne la faculté de discernement».

– yTSRénéhou découle de la racine NaTSaR[1] qui veut dire garder: «il l'a gardé... de l'esclavage d'Égypte et de la mort» précisera un célèbre commentateur (Sforno), ce qui laisse entendre une protection de l'ordre du physique!

Or, ces trois descriptions d'**un même tout** rappellent étrangement notre reconnaissance d'une synergie de trois composants qui s'interpénètrent dans la **même** organisation humaine:

– yéSoVéVénéhou, «il l'entoure», renvoie au corps énergétique qui entoure l'individu comme un cocon.

– yéVoNénéhou, «il lui donne la faculté d'intelligence», évoque le psychisme, la pensée.

–YTSRénéhou, «il l'a gardé», renvoie à la constitution d'un organisme physique.

Nouvelle concordance! Nous retrouvons là les trois composantes du corps humain, et qui plus est, décrits dans un ordre qui ne nous laisse pas indifférents.

En effet, cette organisation biblique, cet anti-**Tohou**, en quelque sorte, est aussitôt mis en rapport avec l'évocation, si parlante, de l'image de l'œil: «Comme la prunelle "ICHONE[2]" de ses yeux» ...c'est-à-dire... comme trois cercles concentriques:

---

1. Du fait de la présence d'un daguech dans le tsadé, la racine de ce mot est à rapporter à la racine NaTSaR, garder. Sinon, dans le texte non ponctué du SéPHèR toRaH, on aurait pu penser que ce mot dérive de la racine YaTSaR qui veut dire: créer, former, façonner ...ce qui revient en fait à la même idée.

2. Certains commentateurs bibliques pensent qu'il s'agit de la paupière, d'autres de la pupille. Quoi qu'il en soit, ce terme fait référence à l'œil.

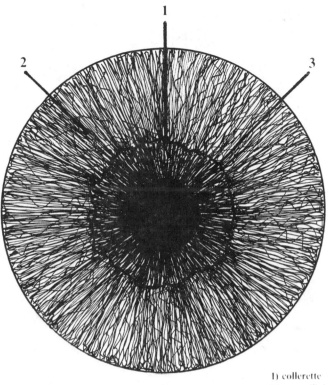

1) collerette
2) zone ciliaire
3) zone pupillaire

FIGURE 38
ANATOMIE MACROSCOPIQUE DE L'IRIS: VUE ANTÉRIEURE.
(Extrait de l'ouvrage du Dr Bourdiol, *Traité d'iridologie*,
Éditions Maisonneuve)

Or, l'image choisie par la Bible nous semble particulièrement adéquate pour illustrer cette organisation ternaire, tant par l'évocation d'**un même tout**, d'une même globalité (l'œil) formée par trois éléments distincts, que par leur mode d'imbrication l'un dans l'autre, et qui plus est dans cet ordre précis: Énergie (E), Psychique (P), Organique (O)[1]; car dans cette image analogique,

---

1. Pour désigner le corps physique, nous avons préféré employer le terme de corps organique, dont l'initiale (O) permet d'éviter une confusion avec l'abréviation du niveau psychique (P).

le niveau énergétique (E) englobe le tout et se juxtapose directement avec le niveau psychique (P).

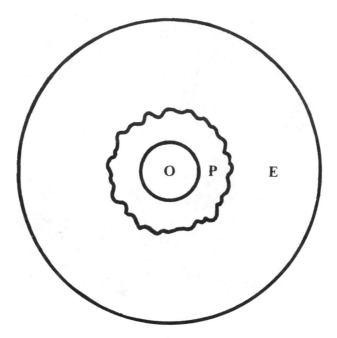

FIGURE 39
REPRÉSENTATION SCHÉMATIQUE DES TROIS NIVEAUX
DE L'INDIVIDU

2) LA BARRIÈRE PSYCHIQUE

En outre, cette représentation schématique s'adapte tout autant à une description du positionnement de cette triade qu'à son
mode de fonctionnement.

En effet, celle-ci concorde, avec certaines constatations d'ordre clinique. Ainsi, nous avions remarqué qu'une simple manipulation énergétique pouvait intervenir efficacement sur le
niveau psychique (P) (voir observation n° 15, p. 177). De plus,
l'efficacité particulière de ce type d'intervention énergétique (E)

sur les animaux ainsi que sur les jeunes enfants, laisse supposer que plus le niveau psychique (P) est «réduit», plus l'efficacité énergétique (E) est grande.

En anticipant quelque peu sur la suite de notre développement, cette compréhension schématique permet alors d'illustrer et de définir ce que l'on entend par état de bonne santé énergétique (E): celui-ci découlerait du fonctionnement correct et harmonieux de cet ensemble trinitaire qui se caractériserait par un permanent écoulement énergétique (E) dans une même direction, de l'extérieur vers l'intérieur, du niveau énergétique (E) au niveau psychique (P) puis au niveau Organique (O):

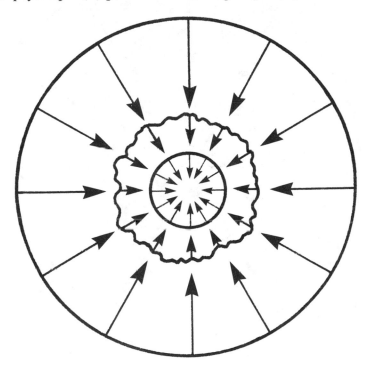

FIGURE 40
CIRCULATION ÉNERGÉTIQUE PHYSIOLOGIQUE

Cette représentation schématique permet de mieux se rendre compte qu'en cas de blocage(s) (voir figure 41), survenant soit au niveau psychique (P), soit (ou/et) au niveau organique (O), la coulée énergétique (E) physiologique ne peut parvenir à son but, et par conséquent devient inopérante.

C'est pour ces raisons que tout «nœud» psychique (P) (névrose organisée; structure psychotique...) ou/et physique (O) (tumeur organisée; artère bouchée; ou plus généralement, toute pathologie structurée organiquement) sera source d'entrave sérieuse, voire d'empêchement, à une participation énergétique (E) au processus de guérison: le recours au psychologue ou/et au médecin organique devient alors inévitable, voire impératif.

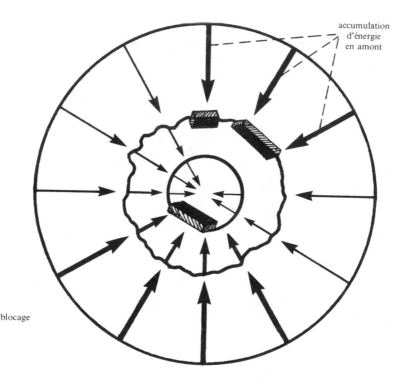

FIGURE 41
EN CAS DE BLOCAGE(S), LA PÉNÉTRATION ÉNERGÉTIQUE
NE PARVIENT PAS À DESTINATION

De plus, dans ce schéma, le niveau psychique (P) est représenté par la bande sphinctérienne intercalée entre la zone ciliaire [Énergie (E)] et la pupille [Physique (P)]; or, c'est justement cette portion intermédiaire, en forme de diaphragme, qui permet une adaptation souple, rapide et efficace de l'œil face aux variations d'intensité de la lumière, tout comme c'est l'importance de la malléabilité psychique (P) qui est responsable d'une plus ou moins grande performance thérapeutique de l'Énergie (E) sur l'organisme (O).

Dès lors, en possession de cette nouvelle représentation schématique, nous pouvons mieux rendre compte du fait que le traitement énergétique (E) pratiqué sur des nourrissons ou sur des animaux s'avère «quasi miraculeux». En effet, chez ceux-ci, le potentiel thérapeutique mis en branle par les manipulations énergétiques (E) ne rencontre pratiquement pas de niveau psychique (P), celui-ci étant, soit inexistant, soit instructuré (voir figure 42).

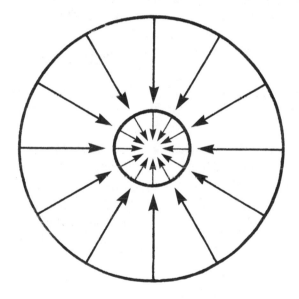

FIGURE 42
ABSENCE PRATIQUEMENT TOTALE DU NIVEAU PSYCHIQUE
(animaux ou nourrissons)
La coulée énergétique atteint très facilement son but.

Ainsi, si nous en sommes venu à élaborer ce mode hypothétique de fonctionnement, c'est afin de tenir compte des diverses données cliniques rencontrées au cours de notre pratique, et qu'il a fallu concilier d'une façon satisfaisante dans un schéma fonctionnel cohérent. Ce sont ces considérations qui nous ont conduit progressivement à mettre en place un modèle physiopathologique du fonctionnement de ces trois composants essentiels du corps humain dans leurs interactions réciproques.

À cette explication, étayée par l'expérimentation clinique, s'adjoint une justification d'ordre neurophysiologique. En effet, à la fin du sixième chapitre, nous avons apporté quelques arguments qui nous ont suggéré une reconnaissance du rôle de l'épiphyse dans l'économie de l'Énergie (E). À ce propos, nous avons appris que la fonction de réception photonique de l'épiphyse se serait atrophiée au cours de l'évolution des espèces comme de l'ontogenèse, puisque cette fonction existe encore à la naissance. Or, si effectivement cette glande pinéale s'avérait en rapport avec la fonction énergétique (E), dès lors nous comprendrions pourquoi l'action énergétique (E) est d'autant plus puissante que l'individu est moins âgé. Quant à la particulière efficacité énergétique (E) rencontrée chez les animaux, celle-ci s'expliquerait d'une part par le fait d'une persistance fonctionnelle épiphysaire, et d'autre part par l'absence de blocages psychiques. Par contre, chez les adultes au psychisme (P) et à l'organisme (O) chroniquement malmenés, nous comprenons également pourquoi l'efficacité du traitement énergétique (E) varie en fonction de leur bon équilibre psychique (P), c'est-à-dire de la «non-rigidification», de la «non-viscosité» de leur appareil psychique (P), qui dans ces conditions de non-rétention, laisse passer librement l'écoulement énergétique (E)!

Dès lors, toute pathologie devrait toujours être définie par une équation qui déterminerait la part des responsabilités respectives:

Exemple: Maladie $X = x (O) + y (P) + z (E)$

Ce n'est qu'après une telle évaluation diagnostique que l'on devrait envisager une stratégie thérapeutique idéalement adaptée à l'ensemble des dérèglements.

Ainsi, prenons pour exemple le cas de la désintoxication taba-gique dans laquelle excelle l'auriculo-puncture. L'expérience cli-nique nous apprend que dans ce cas, la plus ou moins grande efficacité – à long terme – du traitement énergétique (E) dépen-dra essentiellement de l'état psychique (P) du patient, ainsi que de sa motivation, non seulement à se débarrasser de cette habi-tude nocive, mais surtout à ne pas s'opposer aux bénéfices théra-peutiques obtenus. Combien de fois n'ai-je pas entendu: «Après le traitement, je n'avais plus du tout envie de fumer, et même, la seule odeur du tabac me donnait une irrésistible envie de vomir... mais je me suis quand même forcé à fumer, pour voir si...!»

N'espérons pas que de tels comportements se soldent par une réussite, pourtant bien amorcée, du traitement énergétique (E)! Ce qui est en cause dans ces échecs, c'est la répétition d'un même mouvement psychique (P) qui, plusieurs années auparavant, les avait alors poussés à commencer à fumer. C'est pour ces raisons qu'actuellement, avant d'entreprendre une cure de ce genre, je jauge d'abord les motivations du candidat ainsi que ses capacités psychiques, puis je le préviens clairement: «Dès que vous refu-merez, seulement une cigarette, l'escalade sera pratiquement iné-vitable et vous reviendrez rapidement à votre rythme précédent. En vous évitant les phénomènes désagréables de manque, inhé-rents à toute désintoxication, ce traitement (E) ne vise, en fait, qu'à vous redonner une seconde chance de «repartir à zéro», de ne pas recommencer le même scénario, en espérant que, cette fois-ci, votre capacité psychique (P) se sera suffisamment affer-mie pour pouvoir contrer ces mêmes tendances morbides, et contrôler ces mêmes manques qui vous ont alors poussé à fumer!

Ainsi, face à certains échecs rencontrés lors de ce type de trai-tement (E), il ne s'agit pas d'alléguer une quelconque «croyance» en un traitement (E) qui fait quotidiennement la démonstration indubitable de ses puissants effets thérapeutiques, ou bien d'in-voquer un manque d'efficacité, mais de bien évaluer la juste indication de ce traitement (E). Faute de quoi, non seulement l'échec sera assuré, mais encore, au fur et à mesure de la poursuite de ce traitement punctural (E), son efficacité s'amenuisera comme une peau de chagrin.

Il en est de même dans les cures d'amaigrissement – dans lesquelles l'auriculo-puncture (E) parvient pourtant à régulariser l'appétit, et souvent de façon très probante – où, à force de perdre et de regagner les kilos perdus, le corps (O) réagit de moins en moins à quelque stimulation que ce soit... Les obèses qui passent leur temps et leur argent à courir de médecin en médecin et de régime «miracle» en régime «miracle» ne le savent que trop cruellement!

Et du fait même de cette imbrication complexe des trois grands ensembles du corps humain, chaque médecin se doit de posséder une connaissance suffisante, non seulement du corps organique (O) et de ses dérèglements, mais encore du fonctionnement physiopathologique des appareils psychique (P) et énergétique (E).

L'adoption de ce type d'approche globale de l'individu malade devrait alors permettre au thérapeute de savoir à quel niveau se situe la perturbation à combattre[1]: tel est le fondement d'une intervention thérapeutique adaptée. C'est de cette détermination préalable que dépendra une efficacité maximalisée de l'impact thérapeutique.

Tant que le savoir médical n'apercevra l'homme qu'à travers une vision instrumentale du corps – en négligeant ainsi toutes les dimensions de l'individu –, il ne faut pas espérer voir se désamorcer certains conflits stériles qui nous empêchent de nous consacrer au seul problème qui intéresse le monde des soignants: **guérir avant tout, toujours mieux et quels que soient les moyens utilisés.**

---

1. C'est pour cette raison que tout au long de ces derniers chapitres, nous avons insisté, à chaque reprise et même apparemment inutilement, sur le niveau auquel nous nous situons: (O) ou (P) ou (E).

En effet, c'est bien la méconnaissance de l'existence de ces différents niveaux de l'être qui est à l'origine de l'opposition entre médecine «allopathique» (O) et les autres approches non organiques, c'est-à-dire essentiellement énergétiques (E), puisque l'importance essentielle de la dimension psychique (P) est actuellement reconnue de tous. Or, grâce à cet abord holistique, nous comprenons dès lors pourquoi il n'y a pas vraiment d'opposition, mais au contraire **complémentarité**: à chacun selon son niveau, à chacun selon ses possibilités d'intervention. Mais tant que la médecine «officielle» ne reconnaîtra pas certaines de ses limites, dues au fait qu'elle n'embrasse pas l'ensemble des dérèglements, on ne pourra dépasser cette frontière artificielle qu'elle a elle-même instituée. Cette attitude, souhaitable de sa part, impliquerait la reconnaissance d'autres dimensions humaines; ce qui rendrait caduque, *de facto,* l'hypothèse fondant son déni de l'existence «d'autre chose», et qui pourrait se formuler caricaturalement ainsi: «En dehors du corps matériel, il n'existe rien! En dehors du savoir médical officiel, point de salut!»

Or, cette obstination néfaste n'aboutit qu'à une seule chose: se couper de forces thérapeutiques puissamment efficaces. Dès lors, on se prend à espérer qu'un jour, face aux démonstrations de l'extrême efficacité de ces manipulations non matérialisées (E), le savoir médical mécaniste finisse par abolir ses dogmes et accepte de reconnaître que tout ne se passe pas selon les critères qu'il a lui-même imposés et selon le strict champ d'étude qu'il a lui-même défini.

3) «TRANSPARENCE» DU THÉRAPEUTE

Au cours de ce développement sur l'importance du niveau psychique (P) sur la réussite du traitement énergétique (E), nous n'avons considéré le problème que du point de vue du patient; or, ceci vaut également pour le soignant. En effet, la puissance de son intervention énergétique (E) dépendra étroitement de sa capacité à ne pas interférer dans l'entremêlement des deux «bulles» énergétiques en présence, celle du thérapeute et celle du patient.

Dans ce type de rencontre médecin-malade, le soignant énergétique n'est pas un simple planteur d'aiguilles, et à ce titre, il ne pourra jamais être remplacé par une quelconque machine, aussi perfectionnée soit-elle. Pour réparer la «bulle» déchirée du malade, le soignant intervient en se servant de son propre potentiel énergétique (E) comme d'un catalyseur démultipliant les effets mécaniques des aiguilles.

Tout se passe comme si, pendant le traitement (E), le médecin énergétique (E) prêtait au malade une quantité d'Énergie (E), en attendant que, par l'intermédiaire du traitement qu'il est en train de subir, celui-ci retrouve son intégrité énergétique (E).

Voici pourquoi je n'utilise plus l'anneau-test «stabilisateur» qui est censé jouer le rôle inverse de celui que nous recherchons, c'est-à-dire l'implication totale du médecin[1]. En effet, le médecin énergétique (E) doit surtout s'efforcer, non pas de se déconnecter du patient, mais au contraire d'engager sa propre «bulle», tout en sachant se rendre le plus «transparent» possible, le plus «absent» et en même temps le plus «présent»; tel est le paradoxe de ce type d'intervention!

Ceci nous rappelle un enseignement du *Pirké Avot*[2] qui, par son énoncé en forme d'adage, résume assez bien le déroulement de la séance.

Pendant la manipulation énergétique (E), le médecin doit se comporter comme si «ce qui est à moi est à toi, et ce qui est à toi reste à toi»; par contre, après son intervention, chacun des protagonistes retrouve son bien, et alors c'est l'adage suivant qui s'applique: «Ce qui est à moi est à moi, et ce qui est à toi est à toi».

---

1. De toute façon, tous les anneaux-tests actuels laissent passer quelques informations du médecin au malade et réciproquement, et cela est, en fait, une très bonne chose!

2. Les «maximes des pères» constituent dans la littérature post-biblique, le plus ancien ensemble de réflexions qui l'apparentent à un livre de sentences morales et de sagesse populaire, mais qui, en fait, traduisent une vision structurelle du monde.

Le médecin énergétique (E) est en quelque sorte intervenu comme s'il rallumait la bougie de l'autre au moyen de sa propre flamme: lui n'a rien perdu[1], mais l'autre a tout gagné!

Dès lors, nous comprenons pourquoi, en fonction de l'équilibre psychologique (P), de l'empathie naturelle et de la volonté d'aider le malade, l'efficacité de l'impact énergétique (E) du médecin sera plus ou moins efficiente.

Voici pourquoi, à mon sens, il serait illusoire de vouloir comparer les interventions de deux médecins énergétiques (E), et les expérimentations statistiques qui auront peut-être lieu devront alors être établies par rapport aux résultats obtenus par un **même** médecin, quitte ensuite à les confronter.

Cette volonté de comparer l'intervention énergétique (E) à un savoir-faire sacerdotal, et non à un acte de pure connaissance universitaire, peut sembler sonner le glas de notre volonté de reconnaissance scientifique... Pourtant, il n'en est rien!

Il existe bien un cadre général dans lequel s'inscrivent des lois (prise du R.A.C.; structures ternaire et quaternaire de la «bulle»; importance de la forme; «rayonnements» des doigts; notion de modèle analogique...), mais le rôle du soignant énergétique (E) ne se limite pas uniquement à adopter la posologie d'un remède identique pour tous les malades souffrant d'une même catégorie de maladie, il dépendra étroitement et précisément tant du malade que du médecin.

---

1. Il me semble, toutefois, que le soignant énergétique (E) retire malgré tout quelque chose de ce type de rencontre, car au fur et à mesure des interventions qu'il entreprend, le thérapeute énergétique (E) renforce, en fait, peu à peu ses capacités énergétiques (E). Comme l'enfant qui s'immunise peu à peu contre les divers microbes, le soignant s'apercevra également qu'il devient de plus en plus résistant, et donc de plus en plus efficient, face aux divers types de rencontres énergétiques. Aussi, à mon sens, c'est pour cette raison qu'il ne faut pas chercher à lutter contre les phénomènes de «vampirisation», qui ne sont que des phases de développement, mais bien sûr, si celles-ci s'avèrent trop importantes, le médecin ferait mieux de s'orienter vers une rencontre médecin-malade qui l'engage moins. Quant au phénomène de «colonisation», celui-ci ne serait que la marque d'une mauvaise «transparence» de la part du thérapeute...

Tout comme les maîtres cuisiniers qui se servent tous des mêmes règles de préparation, de cuisson, de mélange, mais, avec un résultat qui dépendra, essentiellement, de la personnalité intrinsèque de ceux-ci, il en est ainsi du médecin[1] qui doit accepter son rôle d'artisan en blouse blanche pratiquant une intervention médicale qui est unique, et non un acte de «routine mécanicienne» du corps (O) effectué par un détenteur d'une connaissance dépersonnalisée. C'est uniquement en acceptant et en reconnaissant l'existence d'une «touche» personnelle, qui s'inscrit dans le cadre de lois générales, que l'on pourra comprendre quelque chose aux médecins énergétiques (E).

Il faut cesser de se bercer d'illusions trompeuses en voulant faire accepter les médecines énergétiques (E) par la médecine «officielle», en ne se basant que sur les critères qu'elle nous impose et qui s'appliquent, avant tout, à une configuration essentiellement mécanique du corps organique(O).

La psychanalyse a su se dégager de cette emprise hégémonique en imposant ses propres lois à sa nouvelle science qui, soit dit en passant, se rapproche beaucoup plus du niveau énergétique (E) que du niveau organique (O), tant par le type d'objet de son étude, aussi impalpable, invisible et qui possède un savoir que notre connaissance consciente ignore, que par la structure de ses lois qui font également intervenir la notion d'interactions thérapeutiques[2] entre médecin et malade! En effet, comme dans la

---

1. Et cela, quel que soit le médecin, «allopathique» ou «énergétique» (E); car dans toute relation de don intervient, consciemment ou non, ce type d'intervention énergétique (E). Ainsi, je me rappelle ces phrases d'un jeune réanimateur (pourtant apparemment purement médecin-mécaniste) qui s'étonnait, malgré l'utilisation de la même méthode, de la nette différence des résultats obtenus entre lui et ses confrères. Et ceci n'est qu'un exemple parmi tant d'autres, mais celui-ci présente l'avantage d'éliminer l'intervention de l'effet placebo!

2. Transfert et contre-transfert désignent des phénomènes complexes intervenant au cours de la situation analytique et qui caractérise chaque relation analysant-analysé en tant que méthode de soin unique au monde; aussi, cette singularité ne peut être comprise que dans le cadre de leurs interactions. Le transfert est le transport de quelque chose à l'intérieur de la cure, ce qui provoque une contre-réaction du médecin, que l'on appelle aujourd'hui le contre-transfert.

cure analytique, ce sont ces mouvements de «transfert et contre-transfert» – mais cette fois-ci énergétiques (E) – qui cristallisent l'effet thérapeutique.

De plus, nous remarquerons que ces rapprochements structurels entre niveau énergétique (E) et niveau psychique (P) se retrouvent également dans le schéma de l'œil, dans lequel le niveau énergétique et le niveau psychique (P) sont non seulement contigus et extérieurs au corps organique (O), mais encore nettement différenciés; alors que le niveau organique (O) est dense, opaque, comme la matière, les autres niveaux (E+P) sont représentés par des zones plus clairsemées, plus aériennes... et également plus colorées!

4) INCONTOURNABLE PSYCHISME?

Aussi cohérente et satisfaisante que soit cette compréhension théorique, elle ne résout pas pour autant nombre de questions soulevées par la prise en compte d'une composante énergétique (E).

Sans entrer dans les impossibles interrogations sur l'essence et l'origine... de cette entité que l'on ne peut appréhender que par le truchement de ses effets, nous pouvons toutefois nous interroger sur le mode et le lieu d'action de cette Énergie (E), tant sur les corps organique (O) que psychique (P).

Dans l'approche traditionnelle dichotomique soma/psyché, (O)/(P), le problème soulevé par l'interaction de ces deux entités – même aussi radicalement différentes que le corps physique (O) et la pensée immatérielle (P) – ne pose pas de questions insolubles. Ne savons-nous pas que certaines médications psychotropes agissent sur le psychisme (P) en provoquant une modification des médiateurs chimiques situés dans les synapses cérébrales? Dès lors, le lieu de jonction entre ces deux composants du corps humain devient parfaitement localisable.

Quant au lieu d'action de l'Énergie (E) sur le corps (O), nous avons pu évoquer l'hypothétique action que posséderait l'épiphyse dans l'ancrage neurobiologique de l'Énergie (E), et cette voie de recherche serait sûrement fort intéressante à développer.

Toutefois, à notre niveau de praticien, ce qui nous préoccupe avant tout, c'est l'action thérapeutique de cette méthode. Tant mieux si par ailleurs on découvre le mode d'inscription de l'Énergie (E) dans le corps (O), mais de toute façon ce n'est pas notre ignorance actuelle qui nous fera abandonner un traitement aussi efficace!

Malgré tout, si nous nous sommes posé toutes ces questions théoriques, ce n'est que pour aboutir à une plus grande performance clinique, en cernant mieux les interrogations que pose le système de fonctionnement de ces trois composants du corps humain.

Or, la plus grande difficulté rencontrée par l'action énergétique (E) n'est pas tant le niveau d'inscription organique (O) – sur lequel on peut quantifier objectivement l'efficacité énergétique (E) – mais bien le niveau psychique (P).

En effet, dans notre modèle théorique, nous avons supposé que l'Énergie (E) s'écoulait vers l'organique (O) en passant, dans le cas d'une «fluidité» psychique (P) suffisante, par le niveau psychique (P) qu'il corrige au passage. Or, c'est justement ce dernier niveau (P) qui pose pratiquement le plus de problèmes, au point de moduler la capacité thérapeutique de l'impact énergétique (E), pourtant si efficace lorsqu'elle peut atteindre librement son but (O) (jeunes enfants, animaux)!

Tout se passe comme si le niveau psychique (P) constituait la pierre angulaire sur laquelle achoppe l'essentiel du potentiel énergétique (E), et seule sa «transparence», c'est-à-dire, l'absence de blocages à son niveau (chez le médecin et le malade), permet à l'écoulement énergétique (E) d'atteindre de façon optimale le niveau organique (O).

Cependant, nos recherches nous ont amené, non seulement, à comprendre par quel processus s'effectuait le passage de l'énergie (E) au psychisme (P), mais encore à trouver un moyen, simple et efficace, qui permette à la coulée énergétique de se frayer, de façon optimale, un passage au travers de la barrière psychique (P) – en l'absence de blocages (P) majeurs, il va sans dire – et ce sans avoir à passer par une interminable cure psychanalytique pour «dénouer» ces entraves psychiques (P), et encore si...! Entendons-nous bien: il ne s'agit pas de prendre la place irremplaçable du psychologue sans lequel aucun travail de fond ne peut être accompli, mais de faire en sorte que notre intervention énergétique (E) soit la plus rapide et la plus efficace possible.

En fait, ces deux solutions s'avéreront étroitement liées l'une à l'autre. Toutefois, nous ne pourrons exposer, de but en blanc, ces conclusions sans passer préalablement par d'autres développements.

5) QUAND ON REPARLE DU ALÈPH (3e épisode)

Ainsi, après avoir pris connaissance de ce verset biblique (voir page 194), nous avons préféré adopter la représentation schématique de l'œil qui s'avère un excellent moyen mnémotechnique pour évoquer tant le mode de constitution ternaire et unitaire de l'individu qu'une partie du mode de fonctionnement des différents niveaux constitutifs de l'individu.

Cette configuration imagée vient s'ajouter, de façon complémentaire, à la représentation schématique du ALÈPH qui, elle, contient en outre un aspect d'enchevêtrement dynamique et unitaire comme le sont ces trois niveaux indissociables de l'individu.

En effet, à la fin du chapitre VI, nous avions pu représenter, dans la figure du ALÈPH, les trois cartographies auriclaires [physique (φ), psychique (Ψ) et psychosomatique (Ψ/φ)], et les mettre en correspondance avec les triades colorées (rouge, bleu et vert) et digitales (auriculaire, pouce et annulaire).

Cependant, à cette étape de notre développement, nous pouvons enfin nous débarrasser de la dénomination trompeuse de «psychosomatique» qui fait trop référence à d'autres notions. Certes, nous l'avions alors quand même utilisée, mais cela était dû au fait que la compréhension de ce niveau avait été entrevue en employant une superposition des anneaux-tests «physique + psychique»; de plus, cette dénomination véhiculait également une notion d'intermédiaire propre à cette représentation. Toutefois, plusieurs éléments nous ont fait supposer que cet aspect «psychosomatique» n'était autre que le niveau énergétique (E).

D'une part, notre expérience en clinique «pédiatrique énergétique (E)» nous a montré que la plupart des atteintes non organiques (O) de l'enfant se traduisent par une perturbation du niveau «psychosomatique», comme si celle-ci était la première atteinte; d'autre part, le concept de «brèche énergétique» nous a fait supposer que la «bulle» énergétique (E) constitue la première barrière de défense contre l'intrusion des processus morbides. Ce qui veut dire que si cette technique énergétique (E) donne de si excellents résultats chez l'enfant, c'est parce que d'une part ceux-ci se situent essentiellement à un niveau énergétique (E), et que toute perturbation est d'autant plus facilement traitable énergétiquement (E) que les processus morbides n'ont pas eu le temps de s'incruster dans le corps de ces bambins, par ailleurs relativement sains (à condition que les problèmes ne soient pas trop structurés), tant organiquement (O) que psychiquement (P). À ces arguments, d'ordre clinique, se surajoute une autre donnée qui nous conforte dans ce rapprochement entre niveau «psychosomatique» et niveau énergétique (E): il s'agit d'une démonstration qui relève également de l'ordre du clinique, mais de la clinique psycho-énergétique (P/E), sujet qui sera développé dans la seconde partie de cet ouvrage.

Dès lors, par sa puissante connotation unitaire (ALÈPH = 1), le ALÈPH représente une excellente évocation unitaire des trois niveaux constitutifs de l'individu: E+P+O.

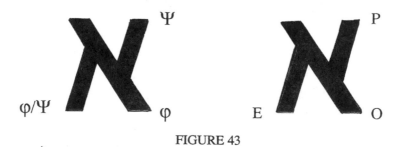

FIGURE 43
LE ALÈPH ET LES TROIS NIVEAUX CONSTITUTIFS DE L'INDIVIDU

CONCLUSION
GUIDE D'APPLICATIONS PRATIQUES

1) L'après rayonnement digital

2) Quelques principes généraux
    a) Avant tout, stimuler les défenses naturelles
    b) Disposer du maximum de potentiel énergétique
    c) Colmatage des brèches énergétiques
    d) Détection des points auriculaires
                    – «Le test de la grimace»
                    – «Le test de la raclette»
    e) Traitement des zones précédemment détectées

3) Quelques points particuliers d'utilisation fréquente
        – a) Angine
        – b) Crise de foie
        – c) Épaule
        – d) Genou
        – e) Hémorroïdes
        – f) Œil
        – g) Sciatique
        – h) Poumon
        – i) Le problème des boucles d'oreilles

Ainsi, tout au long de cette première partie, nous sommes allé à la découverte d'une entité inconnue, invisible, impalpable, mais au savoir et au pouvoir éminemment supérieurs aux nôtres.

La découverte d'un tel type de participation énergétique ne relève pas d'une simple curiosité de l'esprit, mais constitue un apport fondamental dans bien des domaines.

Pour notre part, en tant que médecin praticien, nous avons surtout mis l'accent sur le côté médical qui constitue l'essentiel de nos préoccupations, car, en comparaison des traitements habituellement proposés, nous avons été fortement impressionné tant par les prouesses thérapeutiques de ces méthodes énergétiques que par l'absence d'effets secondaires. Aussi, ces propriétés les destinent à être des appoints thérapeutiques difficilement contournables, dans des indications telles que:

– le traitement des douleurs, dans lequel l'auriculo-puncture excelle, atteignant des résultats probants – et souvent instantanés – dans au moins 90 % des cas;

– en médecine pédiatrique, où ces techniques trouvent un terrain d'action privilégié (traitement instantané des rhino-pharyngites; traitement rapide et efficace de certains eczémas, des incontinences urinaires nocturnes, des insomnies, des troubles de l'humeur de l'enfant...);

– divers troubles psychiques non encore structurés (anxiété, dépression, etc.); diverses désintoxications (tabac, médicaments, drogues, etc.); troubles fonctionnels (spasmophilie, divers troubles non étiquetés difficilement traitables par la panoplie thérapeutique habituelle...).

Certains auraient sûrement souhaité nous voir prendre position en nous lançant dans des considérations philosophiques ou mystico-religieuses pour tenter d'amener quelques éléments de réponse à certaines questions inévitables: à savoir, à quoi peut-on relier cette entité supérieure et invisible? Comment intégrer sa présence dans notre compréhension de l'être et du monde environnant?

Pressentant l'importance de ces déductions, et surtout sachant qu'à ce stade de notre exposé, il serait erroné et dangereux de tirer une conclusion d'ordre général dans le but de s'en servir pour une quelconque élaboration philosophique ou religieuse – tant, il va sans dire, que quelle que soit la direction empruntée, celle-ci ne pourrait être que dogmatique! –, nous avons préféré, en guise de conclusion et en tant que médecin praticien, opter pour la rédaction de ce chapitre pratique qui empêchera certains lecteurs de s'«envoler» en les ramenant à des considérations d'ordre plus matériel, tout en leur permettant d'entrevoir synthétiquement différents éléments théoriques développés tout au long de cet ouvrage.

De plus, cet exposé pratique les mettra en contact avec une méthode simple et efficace permettant d'intervenir sommairement, mais efficacement, sur le corps énergétique.

1) L'APRÈS RAYONNEMENT DIGITAL

Après la découverte de l'existence d'un «rayonnement» énergétique de l'extrémité des doigts de la main, je savais désormais que tout contact manuel ne pouvait plus être seulement considéré comme une simple action mécanique, mais comme la conclusion d'une application effectuée au moyen d'une partie corporelle porteuse d'une capacité énergétique au fort pouvoir thérapeutique.

Aussi est-ce naturellement que j'en vins à utiliser, comme instrument thérapeutique, la simple pression du doigt qui m'avait permis de détecter les points pathologiques à corriger. Bien entendu, cette technique ne pouvait se comparer aux effets de la méthode puncturale, tant il va sans dire que les résultats obtenus avec les aiguilles sont plus profonds et plus durables. Cependant, j'utilisais l'application digitale dans certains cas précis.

Au début, ce fut lorsque je me trouvais en dehors de mon cabinet médical, alors que je n'avais pas d'aiguilles sur moi et que j'éprouvais certaines réticences à laisser quelqu'un se plaindre d'une quelconque douleur, alors qu'assurément je pouvais la soulager par un acte simple et rapide: il me suffisait pour cela de repérer, à l'aide du R.A.C. et du passage des doigts, les points qui apparaissaient spontanément, puis d'y appliquer une légère pression avec le même doigt qui avait servi à les repérer. Très souvent, cette simple manœuvre suffisait à faire disparaître en même temps le symptôme ainsi que son corollaire: les points pathologiques initialement détectés. Certes, je savais qu'ils avaient de grandes chances de réapparaître, mais au moins cette intervention permettait à ces personnes de mieux passer une phase pénible.

Néanmoins, je ne pus rester insensible aux résultats obtenus par cette simple opération, qui s'avérait souvent spectaculaire... quoique trop temporaire.

Aussi, devant ces succès inattendus, je n'hésitais pas à employer cette technique au cabinet même, quand parfois il me fallait continuer un certain travail énergétique alors que certains malades trop craintifs ne supportaient plus d'être piqués. Dans ces cas-là, je poursuivais la séance en appuyant simplement du bout des doigts sur les points à corriger. L'autre domaine d'application préférentiel fut le traitement des jeunes enfants, lorsque la ponction de l'oreille en plastique s'avérait trop fastidieuse ou ne suffisait plus. Toutefois, chez ces jeunes bambins, je devais remarquer que cette simple technique se soldait par d'excellents résultats à plus long terme, et à la lueur des modèles de compréhension théorique précédemment établis, nous pouvons désormais comprendre le pourquoi de cette différence notable.

Bien sûr, dans les deux cas précédents, il est toujours possible d'utiliser des moyens de stimulation électrique ou laser, mais l'expérience révèle que l'application digitale s'avère d'exécution beaucoup plus facile, tout en donnant d'excellents résultats.

Ceci se comprend aisément lorsque l'on sait que dans les cas de stimulation mécanique, des manipulations relativement compliquées s'avèrent souvent nécessaires, alors que dans le cas de la pression digitale, il s'agit seulement de faire intervenir un acte mécanique beaucoup plus simple, mais surtout couplé à une intervention énergétique particulièrement efficace. Notons que cette différence de résultats s'explique en outre par la liberté de manœuvre que cette méthode autorise. En effet, nous nous sommes aperçus qu'un point corrigé «fuit» à mesure qu'on le traite (ce qui se traduit quelquefois, cliniquement, par une mobilité des douleurs qui changent de place au fur et à mesure du traitement). Aussi, devons-nous intervenir très rapidement et d'une façon continue, en poursuivant en quelque sorte le «fuyard» et en l'empêchant de trouver le moyen de s'esquiver. Grâce aux méthodes du R.A.C. et de la détection digitale, il est possible d'aller très vite dans le repérage des points pathologiques. Quant au traitement, dans ce même impératif de rapidité d'intervention, nous utilisons une méthode qui consiste à piquer en une fraction de seconde, en «rafale»: l'aiguille ne reste pas en place, elle est introduite, puis aussitôt retirée pour être immédiatement implantée sur le nouveau point qui vient d'apparaître. Or, dans cette perspective, l'utilisation des techniques de stimulation purement mécanique s'avère trop lourde, trop lente, car il faut pouvoir agir «en commando», dans la fraction de seconde.

Ainsi, bien que la méthode d'attouchement digital soit moins efficace que la puncture directe, sa grande facilité d'utilisation compense quelque peu son impact plus superficiel.

Enhardi par ces résultats satisfaisants et recherchant sans cesse le moyen de responsabiliser le malade en le faisant participer au processus de sa guérison, j'en vins à utiliser cette méthode de pression digitale dans des symptomatologies aiguës, du type angine, toux, etc. (nous aurons l'occasion de revenir en détail sur ces quelques applications pratiques). Dans ces cas, je leur montrais alors les points auriculaires qu'il fallait stimuler pour entraîner, par exemple, une nette diminution des douleurs de déglutition provoquées par l'angine, ou pour apaiser les quintes de toux... et je m'aperçus que les résultats obtenus par cette simple méthode s'avéraient souvent particulièrement efficaces, et de plus très facilement vérifiables par tout un chacun, car on pouvait en constater l'efficacité immédiatement.

Outre ces «trucs» thérapeutiques, j'utilisais cette méthode dans des pathologies chroniques; et bien que cette dernière indication fasse également intervenir le maniement des extrémités digitales, cette application découle d'une autre constatation expérimentale: toute zone douloureuse qui apparaît sur le pavillon auriculaire dénote l'existence d'un problème de santé qui commence déjà à s'inscrire au niveau somatique (O). En effet, le pavillon auriculaire peut être comparé à un «feu orange», et l'apparition de douleurs provoquées à son niveau à un clignotement d'alarme. D'autre part, nous avons observé qu'un bon traitement punctural se solde toujours par la disparition des douleurs initialement repérées au niveau auriculaire, et ceci sans même avoir institué de traitement direct visant à les faire disparaître. Ce qui implique, réciproquement, qu'arriver à faire disparaître les zones douloureuses du pavillon témoigne du rétablissement de l'état de santé effectué.

Aussi, lorsque je n'avais pas la possibilité de suivre régulièrement un patient, je lui apprenais comment maintenir l'amélioration obtenue. Ainsi en fut-il dans le cas de ce couple new-yorkais (voir observation n° 7, p. 94) dont l'histoire se termine ainsi: un jour du mois de décembre, je reçus un coup de téléphone d'Amérique. Le mari en question m'appelait, affolé, pour me demander si je pouvais venir à New York pour soigner sa femme nouvellement enceinte et qui s'était remise à tousser: le souvenir traumatisant de la première fausse couche les terrorisait. J'essayai de les rassurer en leur demandant d'abord d'appliquer les conseils rudimentaires que je leur avais donnés, en leur précisant qu'en cas d'échec, il serait toujours temps d'envisager une solution extrême! Après avoir mis en pratique ce que je leur avais enseigné, il me retéléphona pour m'avertir que tout était rentré dans l'ordre!

Il est évident que dans le cadre d'une consultation, on ne peut passer son temps à enseigner cette méthode à tous les malades; et en pratique, je ne m'astreins à ce surcroît de travail que dans des pathologies chroniques – où l'on ne peut voir un patient toutes les semaines – ou dans des cas de trop grand éloignement.

Compte tenu de ces considérations, j'exposerai dans ce dernier chapitre cette méthode générale dans les grandes lignes, puis je décrirai quelques exemples particulièrement probants qu'il est possible de stimuler en première intention.

2) QUELQUES PRINCIPES GÉNÉRAUX

a) Avant tout, stimuler les défenses naturelles

Tel est le principe fondamental qui devrait guider toute intervention médicale, car il faut apprendre au corps à réagir contre toutes les agressions extérieures et non se substituer sans cesse à lui: une telle pratique ne tendrait qu'à diminuer les capacités de réaction naturelles du corps et à le transformer en assisté. Comme l'enfant qui, au contact des multiples agressions microbiennes, se constitue une armada d'anticorps suffisamment puissants et efficaces pour pouvoir lutter par la suite, d'une façon autonome, contre les diverses infections, telle devrait être l'attitude positive à adopter et tel est le principe qui sous-tend la théorie pasteurienne des vaccinations: provoquer le développement de défenses immunitaires suffisantes pour permettre au corps de se défendre seul.

Dans cette perspective et pour illustrer l'attitude contraire, on ne peut que critiquer les réflexes de certains parents qui, dès la moindre fièvre, se précipitent sur l'aspirine ou les antibiotiques. Devant leur affolement légitime, le médecin se doit de temporiser en leur expliquant que dans le cas d'une simple angine, par exemple, on peut attendre quelque temps (jusqu'à la limite maximale de 48 heures), que l'on **doit** même attendre[1] avant d'administrer l'antibiotique[2], et ceci afin de permettre à l'organisme (O) de sécréter les anticorps appropriés qui protégeront l'enfant contre une possible récidive. Les parents devraient également ap-

---

1. C'est au médecin de juger du temps nécessaire, en fonction de la gravité de la maladie.
2. Concours Médical-15-09-1990-112-17: «Les anglo-saxons utilisent largement le prélèvement de gorge ou, plus récemment, les tests de diagnostic rapide et ne traitent que les angines streptococciques reconnues [...] L'angine streptococcique (40 % à 50 % des angines bactériennes) demeure l'objectif thérapeutique prioritaire et elle ne s'observe guère avant l'âge de trois ans.»

prendre à respecter un simple fébricule (en-dessous de 38°5), car celui-ci représente encore le meilleur moyen de lutter contre une infection virale face à laquelle toute la panoplie médicale moderne est pratiquement sans recours.

De même que le corps humain est merveilleusement organisé pour épurer et rejeter tous les déchets toxiques (exsudation; expiration; excréments...), de même il faut savoir respecter une petite toux, une petite diarrhée ou un petit vomissement... Et dans le doute, il vaut mieux se précipiter chez le médecin que sur l'anti-tussif, l'anti-diarrhéique, l'anti-vomitif ou je ne sais quel autre anti! Arrêtons de prendre le corps pour un imbécile qui ne saurait que faire sans les merveilleuses découvertes modernes! Bien sûr, il est plus facile pour le médecin de rédiger, vite fait bien fait, une ordonnance que de prendre le temps d'expliquer patiemment au malade comment le corps fonctionne, et ceci au risque de perdre des patients qui ne comprendraient pas ce «manque d'intervention[1]»!

Il faut tenter d'augmenter le seuil de réactivité du corps, au lieu de se substituer symptomatologiquement à lui. Ce confort, satisfaisant à court terme, s'avère à long terme une source de dépendance particulièrement désagréable, comme le montre éloquemment la prescription phénoménale d'anxiolytique due à un comportement actuel inadapté: quand, à l'occasion de la moindre anxiété, d'une contrariété un peu forte, d'un mal-être désobligeant ou d'une insomnie passagère, on se précipite sur un «calmant», il est alors naturel de voir ressurgir, avec plus de force encore, la poussée d'angoisse antérieurement refoulée. Cette attitude ne fait que renforcer l'incapacité de lutter contre l'angoisse et... la dépendance médicamenteuse.

---

1. En France, il ne faut pas blâmer le médecin généraliste qui se trouve pratiquement acculé à exercer une telle politique: sous-payé (deux fois moins que le simple déplacement d'un plombier), ne pouvant pas prendre le risque de perdre un malade qui ne manquerait pas – vu la pléthore médicale – de lui trouver un remplaçant, celui-ci prescrira l'ordonnance la plus chargée qui soit, au plus grand drame de la sécurité sociale... et des patients!

Aussi, est-ce à un véritable changement de mentalité et de comportement médical qu'il faut s'atteler. Dans ce sens, les médecines dites «alternatives» sont assurément très bien placées pour participer à ce combat préventif.

Ceci se comprend aisément lorsque l'on sait que tout le travail de l'auriculo-médecin consiste à refermer les brèches et à repositionner le corps énergétique (E) au-dessus du corps physique (O) afin que la «bulle» énergétique assure le plus efficacement possible son rôle de carapace, de première barrière contre la pénétration des phénomènes morbides. En plantant ses aiguilles, le médecin énergétique ne fait rien d'autre que de rétablir une NORMALITÉ ÉNERGÉTIQUE. Son travail ne consiste pas à effectuer un quelconque «réglage», mais à redonner au corps énergétique sa capacité maximale de réaction, car ce n'est que cette intégrité énergétique retrouvée qui remplira son rôle particulièrement puissant et efficace de premier rempart contre la maladie.

Dans le cas des manifestations douloureuses ou anxiogènes à leur début, une manipulation du corps énergétique s'avère bien plus efficace et durable que l'absorption de certaines médications classiques, et ce tout en stimulant les réactions de défense naturelles et en agissant d'une façon étiologique, d'une façon qui vise non pas à éloigner temporairement le problème, mais à le résoudre. Dans ce contexte, il faudrait rééduquer les malades potentiels que nous sommes, et faire en sorte que ce ne soit pas en dernier recours – alors que toute la panoplie thérapeutique moderne a échoué – que l'on doit contacter le médecin énergétique, mais à l'inverse, se tourner vers le médecin «allopathique» lorsque les défenses naturelles du malade sont débordées et ne peuvent plus faire échec aux assauts de la maladie. À ce titre, la médecine conventionnelle s'avère incontournable, puisque d'après notre compréhension, le niveau organique (O) n'est atteint que lorsque le niveau énergétique (E) se trouve «enfoncé».

Cette médecine énergétique devrait idéalement pouvoir être utilisée en première intention par n'importe quel médecin, car à ce niveau d'intervention, les gestes qui s'imposent ne nécessitent

pas d'hyperspécialisation, du moins en ce qui concerne l'auriculo-
puncture. En regard des années passées à «ingurgiter» des données théoriques qui ne sont plus d'aucune utilité dans l'exercice
pratique de la rencontre avec la maladie, nous restons convaincu
que tout médecin devrait pouvoir apprendre facilement les éléments nécessaires à la pratique d'une telle méthode.

En effet que faut-il savoir? Essentiellement, prendre le R.A.C.
Or, au cours de notre longue formation médicale, n'apprenons-
nous pas toute une série d'actes techniques (diverses auscultat-
ions, petite chirurgie, etc.), alors pourquoi n'apprendrions-nous
pas également la prise de ce réflexe? D'autant plus que grâce à
celui-ci, le praticien pourra atteindre une efficacité thérapeutique
particulièrement probante et qui ne demande, de surcroît, pratiquement pas d'effort de mémorisation supplémentaire. En effet,
au cours de précédents chapitres, nous avons pu constater que le
corps énergétique possède une science propre que nous ne con-
naissons pas. D'autre part, nous avons pu déterminer que les
«rayonnements» énergétiques «nimbant» l'extrémité des doigts
possèdent la capacité de détecter les différents points pathologiques à corriger.

Or, cette propriété digitale s'avère l'outil qui manquait pour
pouvoir utiliser simplement les renseignements fournis par le
«décryptage» des messages émis par le R.A.C. Dès lors, en se
servant en même temps du couple R.A.C. + propriétés du «rayonnement» digital, il devient inutile de connaître la longue liste des
points, de leurs localisations ou de leurs multiples fonctions; il
suffit de savoir passer son doigt au-dessus des zones pathologiques, puis de les rapporter au niveau du pavillon auriculaire pour
qu'aussitôt l'entité énergétique indique instantanément la position des points à piquer. Grâce au R.A.C. et aux propriétés de
«détection – prélèvement – projection» des «rayonnements» digitaux, c'est comme si nous étions en possession d'un ordinateur
hyperperfectionné déjà programmé, et qu'il suffise de tapoter sur
son clavier pour aussitôt déterminer les points à corriger. Que
demander de plus simple et de plus efficace!

C'est pour ces motifs que nous souhaitons que tout médecin puisse être un jour au moins «un technicien énergétique»; car parmi toute la panoplie thérapeutique, ces méthodes énergétiques s'avèrent d'une aide inestimable pour soulager nombre de manifestations pathologiques dont il est plus facile de fixer les limites d'application que de cerner les multiples indications.

Ces indications découlent de la compréhension du fonctionnement énergétique. D'une part nous avons pu constater que le niveau énergétique (E) représente la première barrière corporelle de défense contre les agressions externes, et d'autre part qu'à partir d'un certain niveau de structuration organique (O) de la maladie (par exemple: artère bouchée), il n'existe plus de réponse du R.A.C. Ce qui implique que lorsqu'une pathologie découle d'une atteinte organiquement (O) structurée, les manipulations énergétiques (E) ne peuvent plus être d'aucune utilité: tout au plus serviront-elles à renforcer l'état général du malade. Dans ce même ordre d'idée, l'expérience clinique nous a montré l'inefficacité des méthodes énergétiques sur les névroses constituées (P), et à plus forte raison sur les psychoses (P). Par ailleurs, nous avons déjà signalé que ce travail énergétique (E) s'avère remarquablement efficace sur les jeunes enfants. Nous avons pu rapporter ces constatations au fait que ceux-ci ne possèdent pas d'appareil psychique (P) suffisamment développé et structuré pour faire obstacle au travail énergétique; constatations qui laissent supposer l'importance d'une absence de blocages psychiques (P) pour permettre à l'Énergie d'agir. Schématiquement, ces conclusions ont pu être représentées sous forme de trois sous-unités structurelles qui composent l'individu:

– premier niveau: énergétique (E);

– deuxième niveau: psychique (P);

– troisième niveau: organique (O).

Ces trois niveaux se superposent parfaitement l'un sur l'autre, tout en entretenant des rapports étroits avec les autres consti-

tuants de l'ensemble ternaire, comme le montre le schéma emprunté à la structure de l'œil. (voir figure 39, p. 198)

Et c'est justement l'apparente autonomie de chaque élément
qui a longtemps laissé croire que seul le corps physique existait
sans aucune participation «extérieure». C'est ce qui explique en
outre le tollé général provoqué par les thèses freudiennes, lorsque
celui-ci révéla l'existence d'un inconscient qui dirigeait notre vie
consciente. Certes, il était particulièrement difficile d'admettre –
même preuves à l'appui – que celui que l'on croyait souverain
n'était en fait qu'un subalterne manipulé par un maître invisible.
Et pourtant...!

On se prend à espérer que ses efforts auront entre autres servi
à préparer le terrain, en ébranlant suffisamment les résistances
massives qui s'opposaient, *a priori,* à la reconnaissance d'un
élément invisible, impalpable et seulement détectable par ses
manifestations, pour qu'à notre tour nous puissions démontrer
l'existence d'une entité énergétique également invisible, impalpable et détectable par ses seules manifestations, sans que nous
ayons à subir une opposition purement dogmatique, mais seulement des contre-vérifications expérimentales afin de pouvoir
montrer que seule l'action de l'entité énergétique suffit à entraîner des guérisons indéniables, car instantanément objectivables.

Ainsi, face à une explication cohérente d'un modèle de fonctionnement du corps énergétique intégré au sein d'une commu-
nauté d'intérêt et face aux preuves cliniques rapportées tout au
long de ce livre, nous espérons vivement participer à la reconnaissance officielle de cet élément fondamental de notre corps, et
à son intégration dans la panoplie des traitements «officiels»
proposés. En attendant la réalisation d'un tel rêve – que nous ne
voulons pas croire trop chimérique –, nous avons tenu dans ce
dernier chapitre à donner au malade un manuel pratique qui
permettra à tout un chacun d'intervenir simplement et plus
ou moins efficacement sur le plan énergétique. Toutefois, avant
d'apprendre à repérer et à traiter les points pathologiques sans

connaître la prise du R.A.C., il nous semble important de s'assurer de deux points.

b) Disposer du maximum de potentiel énergétique

Ceci afin que toute intervention thérapeutique puisse se solder par une réactivation énergétique opérante: tel doit être le préliminaire indispensable à toute intervention énergétique.

Ce préalable découle de l'observation suivante: lorsque des patients se révèlent «exsangues» d'Énergie, il devient impossible de travailler énergétiquement sur eux, et dans ces conditions, il ne faut pas espérer produire une quelconque réaction thérapeutique efficace. À notre sens, c'est cette vacance énergétique qui est responsable des échecs retentissants rencontrés par certains traitements acupuncturaux ou homéopathiques pourtant très correctement conduits. En effet, dans un prochain ouvrage, nous montrerons que l'acupuncture et l'homéopathie sont elles aussi des médecines énergétiques, mais qui se caractérisent par des approches différentes et synergétiques de ce même corps énergétique (E).

Aussi, avant tout traitement énergétique, devra-t-on s'assurer impérativement de l'existence d'un potentiel énergétique disponible. Pour l'auriculo-médecin qui sait prendre le R.A.C., cette vérification ne pose aucune difficulté, mais comment ceux qui ne disposent pas d'un matériel de détection aussi perfectionné doivent-ils procéder?

Le problème aurait été insoluble si au cours de nos recherches en vue de récupérer l'Énergie perdue, nous n'avions pu développer une méthode relativement simple qui devra être appliquée systématiquement, en première intention, lorsque l'on ne connaît pas *a priori* l'état du potentiel énergétique.

Pour ce faire, il faut stimuler digitalement un certain point d'acupuncture (le 26VG) dénommé à juste titre «le point qui ne fait pas revivre que les morts», car sa stimulation entraîne incontestablement des résultats spectaculaires sur certains types de malaises... que cette méthode arrive souvent à faire disparaître pratiquement instantanément!

Or, nous avons pu comprendre que cette action fulgurante est due à une mobilisation de l'Énergie, qui se traduit par un repositionnement du corps énergétique (E) autour du corps organique (O). Et c'est de ce «réhabillage» énergétique que dépend la réussite de l'impact énergétique (E) sur le corps organique (O).

Dans cette compréhension, le rôle des aiguilles pourrait être comparé à une fonction de maintien «musclé», à une sorte «d'enclouage» de la carapace énergétique (E) sur le corps physique (O).

En fait, quand le corps organique (O) se trouve «dénudé» d'Énergie, celle-ci (E) ne s'éloigne pas du corps (O) mais s'accumule autour de ce point précis, en laissant à nu le reste du corps (O). Cette répartition anormale s'explique par le fait que la coulée énergétique ne s'effectue plus normalement et qu'il existe alors une stagnation, une accumulation excessive d'Énergie au niveau de ce qui s'appelle un point de blocage.

C'est ce processus pathologique qui explique la constatation expérimentale suivante: plus un individu se trouve privé d'Énergie et plus la stimulation de ce point fait horriblement mal. Tout se passe physiologiquement comme si le corps (O) était uniformément recouvert d'Énergie qui le protège de toutes parts, alors que la pathologie s'expliquerait par une répartition non homogène de celle-ci (E): en certains endroits, elle est trop condensée, ce qui se répercute ailleurs par une dilution énergétique qui peut aller jusqu'à l'absence, et c'est alors la création d'une brèche énergétique.

Ainsi, à travers l'explication «physiopathologique» du mode d'action de ce point, nous pouvons entrevoir l'importance de sa stimulation préalable avant toute intervention énergétique (E), qui deviendra dès lors, soit possible, soit démultipliée.

Ce point se situe à la base du nez ainsi que le montre la figure 21, p. 104.

Comment stimuler manuellement ce point?

– Le premier temps sera consacré à déterminer le doigt qui servira à effectuer la stimulation digitale. Pour ce faire, il faut appuyer successivement avec l'ongle de chaque doigt (comme s'il s'agissait du tranchant d'un instrument), avec la **même** pression, au **même** endroit, dans la **même** direction, et c'est avec le doigt qui réveillera le plus de douleur que l'on exercera la stimulation thérapeutique.

Pourquoi cette façon de procéder et pourquoi ce choix? Car c'est ce doigt, ou du moins, son niveau énergétique qui est perturbé. N'oublions pas que cette douleur précise n'apparaît que parce qu'elle a été révélée par le «rayonnement» énergétique propre à ce doigt. La meilleure démonstration de cette affirmation est que, pour la même pression, seul un des cinq doigts fera plus mal que les autres. Si l'on voulait encore refuser d'admettre une telle constatation en objectant quelque erreur d'appréciation, il suffira alors de réitérer la même opération à quelques jours d'intervalle, sur soi-même ou sur d'autres personnes, par soi-même ou par d'autres personnes, et constater alors que ce n'est plus le même doigt qui provoque le maximum de douleur.

– Dans un second temps, on exercera, avec le doigt préalablement déterminé, une série de petits à-coups (pression/relâchement... pression/relâchement...), comme si l'on voulait réveiller une stagnation paresseuse, comme si l'on voulait défoncer une porte verrouillée ou déboucher un tuyau, et ce jusqu'à obtention de l'insensibilité du point[1], ce qui signifie l'accomplissement de la correction énergétique (E).

À ce propos, il faut souligner que le fait de relâcher brusquement la pression est aussi important que le fait d'appuyer, de masser ou même de piquer. En effet, les comparaisons précé-

---

1. Lorsque la zone en question s'avère particulièrement douloureuse, il ne faut pas espérer en venir à bout dès les premières stimulations, mais il faudra chaque jour réitérer l'opération.

dentes illustrent assez bien le but des différentes manœuvres thérapeutiques à appliquer, qui consistent en somme à forcer un barrage, et pour cela, il faut exercer des pressions ainsi que des retraits brusques. La meilleure confirmation de ce procédé doit être encore recherchée dans l'«indice-douleur». On pourra alors constater que le seul fait de relâcher brusquement l'appui forcé (ou de retirer brusquement une aiguille) entraîne parfois une douleur encore plus vive que la seule pression manuelle ou la ponction.

Après cette tentative, il faudra recommencer l'examen pour s'assurer que plus aucun autre doigt ne réveille de douleur, sinon il faudra renouveler l'opération précédente à l'aide du nouveau doigt choisi.

Ce n'est qu'après avoir réalisé préalablement cette opération que l'on pourra passer à une autre technique.

c) Colmatage des brèches énergétiques

Pour comprendre la pathogénie des processus morbides, nous avons été amené à envisager l'existence de brèches énergétiques qui se seraient formées à la suite d'une mauvaise répartition de l'énergie, et c'est par ces failles que s'engouffreraient les processus morbides.

Réciproquement, nous avons supposé que ce serait le colmatage de ces fissures qui serait responsable de l'action énergétique sur les manifestations pathologiques. C'est ainsi que nous avons expliqué la guérison quasi miraculeuse obtenue par la simple application de la zone brûlée à l'oreille: il avait suffi de «rebrancher» la périphérie à l'oreille centralisatrice.

Cette technique a pu être étendue à d'autres endroits du corps pour lesquels il était impossible d'envisager une application directe sur le pavillon auriculaire. Dans ces cas, nous avons alors utilisé la main comme intermédiaire, et nous l'avons passée successivement de la zone périphérique atteinte à l'oreille, puis de l'oreille à la périphérie, et ceci à plusieurs reprises, dans un mouvement de va-et-vient: les résultats se sont avérés également satisfaisants.

Devant de telles constatations, il nous semble logique de gé-
néraliser cette simple méthode de reconnection, et de l'utiliser en
première intention en passant la main, alternativement, de la
périphérie au pavillon auriculaire correspondant au côté atteint.
Ces simples gestes peuvent parfois (surtout pour les brûlures)
suffire à minimiser significativement les conséquences de l'atteinte
traumatique, et dans tous les autres cas, elle favorisera de meilleurs
résultats du traitement que nous nous proposons d'exposer et qui
découle des constatations suivantes:

— les brèches surviennent consécutivement à un trouble de
l'écoulement énergétique;

— cette perturbation se reconnaît à la surface du corps par
l'apparition de points douloureux.

En conséquence de quoi, rétablir une circulation énergétique
«physiologique» revient à repérer et faire disparaître ces points
douloureux: c'est ce à quoi nous allons maintenant nous consacrer.

d) Détection des points auriculaires

Le pavillon auriculaire peut être comparé à une console de
radar sur laquelle viendrait s'inscrire tout mouvement anormal.

La prise du R.A.C. et les méthodes de «dialogue avec le
corps» (anneaux-tests; «rayonnement» des doigts; etc.) permettent une discrimination très fine de la moindre perturbation qui
agiterait l'un des trois niveaux d'inscription auriculaire [(physi-
que/organique (O); psychique (P); psychosomatique/énergétique
(E)], mais cette recherche reste réservée à l'auriculo-médecin.

Par contre, il existe une technique d'exploration moins perfectionnée, mais qui présente l'avantage de pouvoir être utilisée
par des non-médecins: il s'agit de l'apparition d'une douleur
provoquée au niveau du pavillon auriculaire[1]. Celle-ci pourra être

---

1. En fait, cette inscription douloureuse s'effectue sur l'ensemble du corps, mais du
fait de l'étendue à inspecter, nous limiterons notre recherche au pavillon auriculaire
et à la zone périphérique intéressée.

mise en évidence, soit par le classique «test de la grimace», soit par ce que nous avons appelé «le test de la raclette».

«Le test de la grimace»

Chez un adulte, cette recherche ne pose pas trop de difficulté: il suffit de palper les diverses structures auriculaires droite et gauche en les pressant assez fortement entre le pouce et l'index. En procédant de la sorte, on pourra circonscrire une ou plusieurs zones nettement repérables par la douleur aiguë qu'elle réveille. Par contre, chez l'enfant qui ne peut ou qui ne veut pas exprimer ses sensations, il faudra regarder attentivement la mimique de son visage en guettant l'apparition d'une inscription faciale de son ressenti douloureux. Et parce que la pression auriculaire suscite une grimace de douleur, ce mode de palpation auriculaire est appelé «le test de la grimace».

C'est cette simple méthode qui a été utilisée par l'équipe américaine (voir p. 31) pour vérifier l'existence d'une représentation somatique au niveau auriculaire. Leur protocole laisse déjà entrevoir que cette façon de procéder détermine essentiellement des pathologies qui ont déjà atteint le stade organique (O), puisque dans ce cas, il s'agissait de détecter des douleurs ostéo-articulaires.

Or, avant qu'un processus morbide ne s'inscrive à ce niveau (O), il faut que la maladie ait auparavant réussi à «éventrer» les barrières précédentes: énergétique (E) et psychique (P). C'est pour ces raisons que dès que l'on repérera ce type d'inscription auriculaire, il faudra impérativement entreprendre un traitement, car cela signifie que le processus morbide est déjà en train de se structurer pathologiquement. Bien qu'il soit difficile de repérer une atteinte des niveaux psychique (P) et psychosomatique (E) par la seule utilisation du signe de la grimace, il est alors quand même possible de repérer certaines de leurs inscriptions auriculaires par une méthode de discrimination palpatoire plus fine, au moyen de ce que nous avons appelé «le test de la raclette».

«Le test de la raclette»:

Alors que la palpation auriculaire à la recherche du signe de la grimace nécessite un certain apprentissage de la juste pression à exercer d'une façon constante, il existe une autre méthode d'exploration qui consiste à racler – d'une façon appuyée – la surface du pavillon auriculaire avec le tranchant de l'ongle de son index, en recherchant les zones les plus nettement douloureuses. Outre que cette technique présente l'avantage de la simplicité d'investigation – pour une plus grande finesse d'exploration –, elle permet surtout l'examen systématique des moindres recoins de l'oreille ainsi que de zones importantes et difficiles à examiner finement par la seule palpation digitale. Ce sont:

– les points de blocage;

– les blocages vertébraux;

– le point zéro.

1) Les points de blocage:

Nous avons pris conscience de leur importance avec la découverte du rôle de «détecteur des blocages» dévolu au majeur ainsi que par l'intermédiaire d'une observation particulièrement significative: celle du dentiste (voir observation n° 12, p. 153); en effet, dans ce cas, c'était ces points de blocages qui furent responsables de l'inefficacité des produits anesthésiques.

Or, la majorité de ces points sont situés en dehors du pavillon auriculaire, juste sur les plans d'insertion de l'oreille au visage, et par là même de palpation difficile (voir figure 33, p. 158).

2) Les blocages vertébraux:

Cette utilisation de l'ongle permet également de repérer d'une façon précise les projections auriculaires des troubles vertébraux.

En effet, sur la cartographie de l'embryon, la colonne vertébrale se projette sur une région difficile à examiner finement par le seul moyen du pincement.

Comment reconnaît-on ces projections? Au centre de l'oreille, il existe une profonde dépression en forme d'entonnoir, la conque, qui est délimitée par une sorte de mur qui la surplombe. C'est sur le rebord supérieur de celui-ci que se projettent les différents segments vertébraux facilement identifiables par leurs empreintes auriculaires qui épousent étroitement tant les changements de relief de cette zone que «l'étroit parallélisme existant entre la surface anthélicale et le volume de chaque vertèbre»[1].

Un schéma sera plus explicite que de longues descriptions, d'autant plus qu'il faut savoir que de toute façon, seule l'expérience permettra d'apprendre à trouver rapidement les repères auriculaires, car il est un fait remarquable que nous avons constaté: bien que d'habitude l'individu possède une excellente conscience spatiale de son corps, celle-ci s'avère particulièrement déphasée dans le cas du pavillon auriculaire. Demandez à quiconque de montrer directement du doigt sur le pavillon de son oreille une zone que vous lui aurez préalablement montrée sur un schéma d'oreille (lobe mis à part), et vous serez surpris du résultat! C'est pour cette raison que les méthodes de repérage par la douleur provoquée permettent de rectifier le tir initial, trop souvent approximatif.

Aussi, en auriculothérapie élémentaire, palper et détecter visuellement valent mieux que bien des discours, et pour repérer la projection vertébrale à traiter, il faudra passer l'ongle de l'index le long de ce promontoire, à la recherche d'une tranche vertébrale douloureuse.

---

1. Dr Bourdiol, *Éléments d'auriculothérapie*, Éditions Maisonneuve.

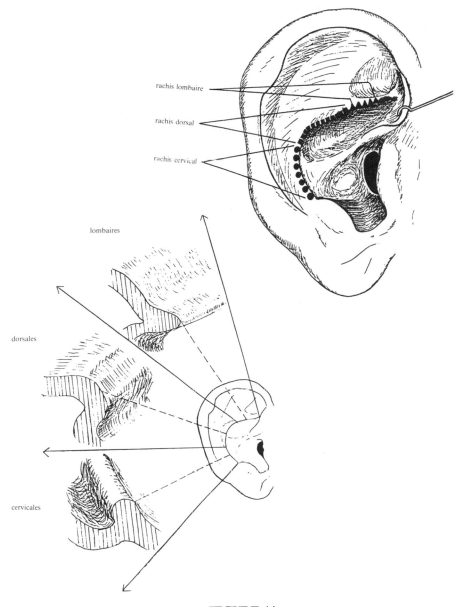

rachis lombaire

rachis dorsal

rachis cervical

lombaires

dorsales

cervicales

FIGURE 44
LES DIFFÉRENTS SEGMENTS VERTÉBRAUX PROJETÉS
AU NIVEAU AURICULAIRE
(Le relief change de forme en même temps
que le groupement vertébral projeté.)
(Figure extraite du livre du Dr Bourdiol, *Éléments d'auriculothérapie*,
Éditions Maisonneuve.

3) Le point zéro:

Par ce procédé, il sera également plus facile de déterminer la situation du point zéro, qui représente analogiquement le nombril de l'embryon. Il est au pavillon ce que le point «qui ne fait pas revivre que les morts» est au reste du corps; aussi devra-t-on bien vérifier qu'il n'existe pas de concentration douloureuse à son niveau. Ce point est situé sur le relief qui traverse la conque, à l'endroit précis où celui-ci s'élève hors de cette dépression. On peut le repérer grâce à une sorte d'encoche cartilagineuse qui se traduit par un ressaut lorsque l'on explore ce relief avec l'ongle.

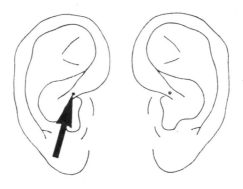

FIGURE 45
SITUATION DU POINT ZÉRO

e) Traitement des zones précédemment détectées

Une fois ces zones repérées au moyen du «test de la grimace» et du «test de la raclette», il faudra s'efforcer de les traiter en ayant pour objectif de faire disparaître tous les endroits douloureux précédemment détectés: tel doit être le critère qui marquera la limite de vos possibilités thérapeutiques propres, du moins d'un point de vue énergétique auriculaire.

Bien que ne disposant pas de moyens de correction très précis (aiguilles + R.A.C.), tout un chacun possède au moins ses propres mains. Or celles-ci sont non seulement pourvues d'un moyen de stimulation mécanique, mais encore d'une capacité thérapeutique propre: le «rayonnement» digital. C'est pour cette raison que nous avons préféré insister sur ce moyen de stimulation manuelle plutôt que sur les méthodes électriques[1] de manipulation plus longue, plus difficile et surtout qui ne peuvent être effectuées à tout moment et en tout lieu. Comprenons-nous bien, ce chapitre n'est pas destiné aux thérapeutes qui voudraient utiliser professionnellement ces techniques[2], mais à tous ceux qui auraient saisi l'avantage que l'on peut tirer d'une bonne compréhension des déductions théoriques précédemment exposées.

Aussi n'entrerons-nous pas dans les considérations complexes[2] des différents types de massage à effectuer suivant les différentes zones. Contentons-nous d'indiquer le but à atteindre: faire disparaître les douleurs provoquées au niveau du pavillon auriculaire.

Pour cela, on pourra effectuer des massages par l'action conjuguée du pouce et de l'index qui pinceront la zone circonscrite grâce au «test de la grimace», tout en la massant d'une façon égale et régulière.

Quant aux points détectés au moyen du «test de la raclette», il est conseillé d'enfoncer son ongle dans la chair puis de relâcher son appui brusquement, en recommençant plusieurs fois de suite: pression/relâchement... pression/relâchement...

3) QUELQUES POINTS PARTICULIERS D'UTILISATION FRÉQUENTE

Après avoir exposé sommairement quelques techniques générales qui permettront de retrouver les points pathologiques à corriger, il nous est apparu utile de décrire quelques points par-

---

1. Mises au point d'après les travaux du Dr Niboyet, qui démontra l'existence d'une conductibilité accrue du «point» par rapport à la résistance moyenne du tégument.

2. Nous renvoyons alors à l'excellent livre du Dr Bourdiol, *Éléments d'auriculothérapie* ainsi qu'au livre du Dr Nogier, *traité d'auriculothérapie,* tous deux parus aux Éditions Maisonneuve.

ticulièrement efficaces que l'on pourra stimuler en première intention.

Plusieurs raisons nous ont poussé à donner et à choisir ces quelques exemples. En premier lieu, ce sont les résultats spectaculaires obtenus par leur simple stimulation manuelle. Cette explication suffirait en soi à les rendre dignes d'un intérêt particulier, mais qui plus est, les résultats obtenus permettront aux plus sceptiques de se convaincre facilement de l'efficacité d'une technique aussi élémentaire, et donc à plus forte raison des effets thérapeutiques qu'il est possible d'obtenir par des méthodes plus recherchées.

D'autre part, la description de ces points permettra de comprendre que dans le cas d'une pathologie à inscription nettement somatique (O), c'est à la cartographie auriculaire de l'embryon (voir figures 1, p. 21 et figure 2, p. 30) qu'il faudra le plus souvent se référer.

Voici donc ces quelques points dont il est recommandé de connaître la localisation précise afin de pouvoir les stimuler directement en cas de pathologies manifestées.

a) Angine

Ce point se trouve situé à l'extrémité d'une gouttière qui débouche sur le lobe, à l'endroit où le cartilage auriculaire disparaît. La stimulation simultanée (pression appuyée) des oreilles droite et gauche[1] s'avère particulièrement efficace pour calmer instantanément les douleurs de déglutition provoquées par l'angine: c'est pour cela que nous avons préféré l'appeler «point angine», même si le Dr Nogier l'a dénommé «point maxillaire», car il agit en fait sur diverses pathologies survenant dans le territoire maxillaire et de l'œso-pharynx.

---

1. Contrairement à la détection systématique qui portera prioritairement sur l'oreille droite et accessoirement sur la gauche, ces points particuliers devront être détectés et stimulés de façon bilatérale et simultanée.

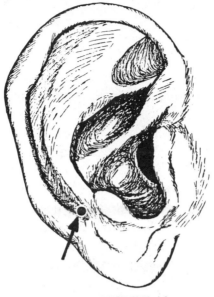

FIGURE 46
SITUATION DU POINT ANGINE

b) Crise de foie

L'expérience nous a montré que la stimulation du point du «foie» s'avère très efficace pour soulager nettement une colique hépatique.

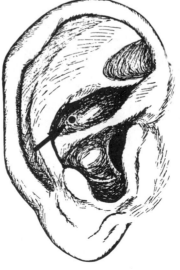

FIGURE 47
SITUATION DU POINT FOIE/VÉSICULE BILIAIRE

c) Épaule

D'après les enseignements du Dr Nogier, ce point se situe un peu au-dessus du point «maxillaire», dans le prolongement du relief qui traverse la conque. Mais notre expérience nous a montré que la stimulation directe de la projection auriculaire de la septième vertèbre cervicale s'avère d'une efficacité remarquable, au point de pouvoir suffire, à elle seule, à débloquer même d'anciennes «épaules gelées». D'ailleurs, plus généralement, nous nous sommes aperçu empiriquement que la majorité des troubles vertébraux provenaient d'un trouble initial de la statique de cette septième vertèbre cervicale. Aussi conseillerons-nous à tous ceux qui – en attendant de consulter – n'ont pas la possibilité de vérifier l'origine de leurs troubles vertébraux de masser ce point en première intention.

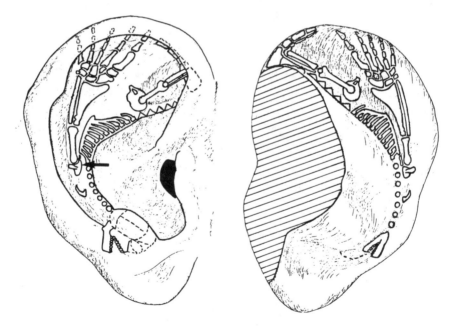

FIGURE 48
FIGURE DU POINT ÉPAULE REPLACÉ DANS LE CONTEXTE
DE LA SOMATOTOPIE OSTÉO-ARTICULAIRE
(D'après le livre du Dr Bourdiol, *Éléments d'auriculothérapie*,
Éditions Maisonneuve)

d) Genou

Ce point se trouve au centre d'une fossette à l'aspect triangulaire qui se trouve dans le haut du pavillon auriculaire. Sa stimulation agit sur les douleurs des genoux.

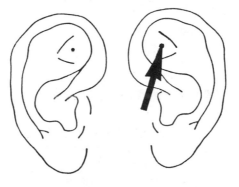

FIGURE 49
SITUATION DU POINT GENOU

e) Hémorroïdes

Ce point se trouve caché sous l'ourlet qui encadre l'oreille. Pour le trouver, le doigt longera la projection de la colonne vertébrale jusqu'à son extrémité cachée (au niveau des vertèbres sacrées), et se glissera sous la bordure repliée de l'oreille. La stimulation de ce point soulagera fréquemment ces manifestations pénibles et gênantes.

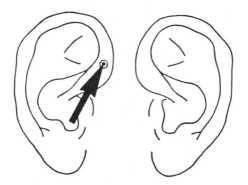

FIGURE 50
SITUATION DU POINT HÉMORROÏDE

f) Œil

Approximativement, le point de l'œil se situe au centre du lobe. Sa stimulation est très efficace dans tous les troubles oculaires et il devra être systématiquement traité jusqu'à ce que toute douleur auriculaire disparaisse.

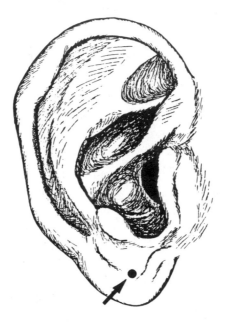

FIGURE 51
SITUATION DU POINT DE L'ŒIL

g) Sciatique

C'est la constatation d'une cautérisation pratiquée sur cette localisation – avec un remarquable succès – par une guérisseuse lyonnaise qui permit au Dr Nogier de poser les fondements d'une auriculothérapie scientifique: c'est dire sa remarquable efficacité dans ce type d'indication. Ce point se situe dans le haut du pavillon, en dessous du point genou, en arrière de l'ourlet qui borde l'oreille, à la hauteur de la projection de la cinquième lombaire que l'on devra également stimuler.

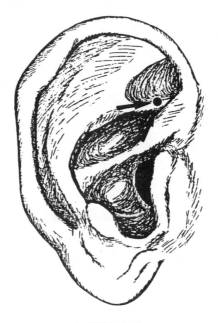

FIGURE 52
SITUATION DU POINT SCIATIQUE

h) Poumon

Ce point se situe au fond et au centre de la conque: il réagira souvent remarquablement bien au point de couper souvent court à plus d'une toux!

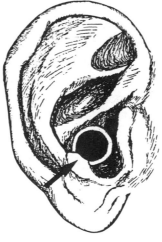

FIGURE 53
SITUATION DU POINT POUMON

i) Le problème des boucles d'oreilles

Beaucoup de personnes se demandent s'il est bon ou non de se percer l'oreille. Si à l'origine de ces réticences se trouve la crainte de «perdre» ainsi un potentiel de points auriculaires, nos développements précédents devraient répondre à la question. En effet, nous avons compris que l'existence d'un point ne dépend nullement d'un quelconque arc réflexe neurologique, mais uniquement de l'apparence morphologique de l'oreille: aussi, logiquement, en perçant l'oreille, il n'y a pas lieu de craindre d'«effacer» certains points réflexes. Par ailleurs, si c'est la crainte de porter un type de boucle d'oreille mal adapté, comme le laisserait entendre l'observation suivante rapportée par le Dr Nogier[1], il semble alors suffisant d'être au courant des risques encourus par une stimulation mal orientée pour pouvoir, si besoin est, en corriger les effets indésirables.

Observation du Dr Nogier

«Je me souviens d'une malade venue me consulter pour une sciatique. Trois séances n'avaient pu améliorer son état. La stimulation des points classiques de la sciatique, qui aurait dû normalement apaiser la douleur, était restée sans effet. Conscient de l'échec de ma thérapeutique, j'exprimai mes doutes à la patiente quant à l'efficacité de l'auriculothérapie dans son cas, et je l'orientai vers une autre médecine. Elle s'apprêtai à sortir, et c'est sur le pas de la porte qu'elle me pose la question suivante: "Docteur, pourriez-vous me dire pourquoi, dès que je mets mes boucles d'oreilles en or, il se produit une suppuration à leur contact?" Je dis immédiatement: "Madame, vous me donnez la solution. Reprenons l'examen."

»La malade s'étend une seconde fois. Dans le trou des boucles d'oreilles – qu'elle ne portait d'ailleurs pas ce jour-là – je place une aiguille d'argent. À ma vive surprise, la douleur disparut: la patiente, toujours allongée, pouvait soulever la jambe.

---

1. Dr Nogier, *L'homme dans l'oreille*, Éditions Maisonneuve.

»Doutant en moi-même de ce résultat spectaculaire, je remplaçai l'aiguille d'argent par une aiguille d'or. La patiente se trouva alors dans l'impossibilité de lever la jambe. Je reposai l'aiguille d'argent: la douleur disparut, la jambe se levait aisément.»

Ces problèmes une fois résolus, la question se posait de savoir s'il n'existait pas une localisation préférentielle, car tant qu'à faire, autant piquer un point utile plutôt que n'importe où!

Pour cela, nous proposons de percer, soit le point de l'œil dans le cas où l'on voudrait renforcer la vue, à l'exemple des pirates qui portaient un anneau à ce niveau pour mieux guetter leur future proie, soit de piquer un point que l'on retrouve très fréquemment chez les gens qui manquent de confiance en eux: c'est en quelque sorte ce que l'on peut appeler le point du MOI. Il se situe à la base du bourrelet appelé l'antitragus. Pour le repérer, il faut imaginer compléter l'ovale de cette moitié de «ballon de rugby», en situant ce point en symétrie avec le point situé au sommet de l'antitragus: une autre conception de l'esthétisme!

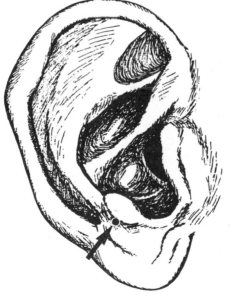

FIGURE 54
SITUATION DU POINT DU «MOI»

ÉPILOGUE

Ce premier livre nous a permis d'approcher le rôle joué par cette potentialité énergétique dans les processus de guérison. À partir de cette compréhension nouvelle, nous avons présenté, comme application pratique, une méthode thérapeutique quelque peu offensive – puisqu'il s'agit d'*éventrer* des barrages énergétiques par des pressions/relâchements répétés –; par contre, dans la seconde partie de cet ouvrage, nous exposerons une technique plus performante et plus conforme au qualificatif de médecine «douce», puisqu'il s'agira de *contourner* les blocages énergétiques.

Toutefois, du fait de leur inintelligibilité apparente, il s'avérera difficile d'exposer, de but en blanc, ces déductions. Les présenter telles quelles n'aurait fait que desservir leur cause, en exacerbant le renvoi à quelque relent «magique». Aussi, auparavant, devrons-nous passer par un exposé que nous consacrerons à une analyse encore plus approfondie du fonctionnement de cette entité énergétique. Néanmoins, cette fois-ci, nous l'appréhenderons au travers des rapports qu'elle entretient avec l'acupuncture, l'homéopathie, l'eau, le magnétisme, la réflexologie plantaire, l'hypnose, l'autosuggestion... et surtout avec le niveau psychique (P) dont nous avons déjà entrevu l'importance. Ce n'est qu'alors que l'on pourra comprendre logiquement le cheminement qui nous a mené à la mise en place d'une méthode thérapeutique moins agressive, moins douloureuse, plus simple et plus efficace. Ces élaborations rigoureuses présenteront également l'avantage de démystifier ces diverses applications qui, par méconnaissance, pourraient paraître infondées et irrationnelles, alors que, justement, nous avons la claire prétention de démontrer qu'il s'agit d'une approche rigoureuse et cohérente, régie par des lois reproductibles justifiant le rapport établi entre l'effet et la cause. C'est à cette seule condition que ces techniques thérapeutiques énergétiques pourront être considérées comme conclusions logiques d'une avancée théorique et expérimentée; et ce n'est qu'alors qu'elles pourront prétendre, en toute légitimité, à une reconnaissance «officielle» que leur seule efficacité thérapeutique devrait déjà suffire à faire intégrer rapidement au sein des stratégies thérapeutiques adoptées.

Pour toutes ces raisons, il nous faudra patienter quelque temps avant de faire paraître cette deuxième partie. Mais, cette attente sera mise à profit pour positionner les autres éléments indispensables à notre démonstration générale, et, nous l'espérons, permettre à cette nouvelle approche thérapeutique de faire la démonstration irréfutable de son incontestable performance.

En outre, ce travail nous permettra d'expliquer des phénomènes jusqu'alors incompréhensibles: comment comprendre que tous les progrès de la médecine moderne n'arrivent pas à soulager certaines douleurs que quelques aiguilles bien implantées réduisent en un tournemain? Quel est le mécanisme réel de la douleur? Pourquoi certains arrivent-ils totalement à la dépasser, au point de marcher pieds nus sur un lit de braises chauffé à plusieurs centaines de degrés centigrades ou au point de se transpercer le corps de toutes parts? Comment appréhender les suggestions hypnotiques qui permettent à elles seules de réaliser parfois des opérations chirurgicales et de provoquer des brûlures artificielles (vésications)? Comment agit l'acupuncture? L'homéopathie? Qu'en est-il de cette supposée mémoire de l'eau? Qu'en est-il réellement du magnétisme? De l'autosuggestion?...

Autant de questions auxquelles nous tenterons de répondre dans nos prochains développements.